Gwyrddach

Camau bach at fyw'n ddiwastraff a diblastig

ISBN: 978-1-912173-21-1

Cyhoeddwyd gyda chymorth ariannol Cyngor Llyfrau Cymru

Cyhoeddwyd gan:
Gwasg y Bwthyn, Caernarfon
gwasgybwthyn@btconnect.com
Rhif cyswllt: 01286 672018

Dylunio: Olwen Fowler
Lluniau a Ffotograffau: Mari Elin Jones

Rhan o'r gerdd 'Eifionydd' gan R. Williams Parry
a ddyfynir ar dudalen 143. *Yr Haf a Cherddi Eraill*,
Gwasg Gee (1924 a 1970).

Gwyrddach

Camau bach at fyw'n ddiwastraff a diblastig

MARI ELIN JONES

CYNNWYS

tudalen

Cyflwyniad

Dros y blynyddoedd diwethaf dwi wedi dod yn fwyfwy ymwybodol fy mod i'n berson digon gwastraffus, ond tan yn ddiweddar doeddwn i ddim *wir* yn sylweddoli faint o effaith roedd byw fel hyn yn ei gael ar yr amgylchedd. Mae rhaglenni teledu, ymgyrchoedd, erthyglau a'r cyfryngau cymdeithasol wedi codi fy ymwybyddiaeth i, ac roedd y sioc a'r siom roeddwn i'n ei gael bob tro roeddwn i'n darllen am ddyfodol ein daear wir wedi pigo'r cydwybod.

Wedi meddwl mwy am y peth, dwi'n credu bod y pigo cydwybod yma wedi bod yn ddwysach oherwydd yr hyn dwi'n ei gredu fel Cristion. Mae adnod gyntaf y Beibl yn datgan: "Ar y dechrau cyntaf, dyma Duw yn creu y bydysawd a'r ddaear", a phan dwi'n gweld y ddaear hon fel rhodd oddi wrth Dduw, dwi eisiau gwneud fy ngorau glas i ofalu amdani a'i defnyddio hi a'i hadnoddau mewn ffordd ddoeth. Wedi'r cyfan, gorchymyn i ofalu am y ddaear gafodd Adda, nid i gymryd mantais ohoni: "Dyma'r Arglwydd Dduw yn cymryd y dyn a'i osod yn yr ardd yn Eden, i'w thrin hi a gofalu amdani" (Genesis 2:15).

Dwi'n eithaf sicr nad yr union resymau yma arweiniodd chi i godi'r llyfr hwn; rydyn ni i gyd yn penderfynu newid ein ffyrdd o fyw am nifer o resymau, ond dwi'n meddwl ein bod ni i gyd yn gytûn fod anelu tuag at fywyd gwyrddach yn ddewis personol i'n galluogi ni fel unigolion i gyfrannu at wella'r blaned yma, a'i gwneud hi'n lle gwell i fyw ar gyfer cenedlaethau'r dyfodol.

Ac felly dyna ddechrau, bob yn dipyn, newid fy arferion a'm meddylfryd, gan gofnodi'r daith ar ffurf blog. Does gen i ddim mo'r anian i gadwyno fy hun at goeden neu brotestio tu allan i'r Senedd, felly dwi'n gweithredu'n dyner o'm basged siopa, o'm cartref a nawr o'r llyfr hwn.

Nid bwriad y llyfr yma yw pregethu wrthych chi, neu roi row i chi am fod gennych chi blastig o fewn canllath i'ch cartref. Wedi'r cwbl, pwy ydw i i sôn am hyn a dweud wrthych chi beth i'w wneud? Dwi'n neb pwysig, dwi ddim yn wyddonydd nac yn eco-filwr sy'n byw yn hollol ddiwastraff a diblastig … a dweud y gwir, mae'n debygol iawn fy mod i'n gwybod llai na chi am y ffeithiau a'r data sydd ynghlwm â'r amgylchedd ac effaith plastig a'n gwastraff ni arno.

Un peth dwi yn ei wybod yw bod ein daear yn wynebu problemau go ddifrifol, ac arnom ni mae'r bai. Dwi hefyd yn gwybod fod y 'ni' yma yn golygu fi, a bod dyletswydd arna i fel unigolyn i wneud fy rhan a newid y ffordd dwi'n prynu, defnyddio a thaflu. Y gobaith gyda'r llyfr hwn yn gyntaf oll yw eich bod chi'n mwynhau ei ddarllen, ond hefyd ei fod yn codi ymwybyddiaeth o'r broblem, a chynnig ambell i syniad hawdd fydd yn eich galluogi chi i newid rhywbeth, hyd yn oed os dyw e ond yn *un peth*.

Mari Elin

Beth yw ffordd o fyw WYRDDACH?

Mae pobl yn meddwl mai rhyw ffordd newydd, fodern o fyw yw byw bywyd gwyrddach, ond mewn gwirionedd, mae'n debycach i sut roedd pobl yn byw rhyw saith deg o flynyddoedd yn ôl, cyn i'n dibyniaeth ar blastig fod yn broblem. Fe dreuliais i'r rhan fwyaf o 'mhlentyndod yng nghwmni Mam-gu a Dad-cu ar y fferm deuluol, ac er nad oedden nhw'n byw'n hollol wyrdd, mae lot o'r hyn dwi wedi'i brofi a'i ddysgu ar fy nhaith wyrddach yn gwneud i fi feddwl amdanyn nhw: bwyta'r hyn oedd yn tyfu ar y fferm, trwsio dillad a gwneud y mwyaf o'r hyn oedd ganddyn nhw'n barod, heb brynu mwy a mwy o *stwff*. Felly'n anuniongyrchol, mae gen i lot i ddiolch iddyn nhw amdano.

Un o fy hoff raglenni teledu yw *The Good Life*, ac mewn gwirionedd dwi wastad wedi bod eisiau bod fel Barbara Good. Un dydd byddwn i wrth fy modd yn mabwysiadu bywyd cynaliadwy, syml a hunangynhaliol, yn treulio 'nyddiau mewn dyngarîs a welintons yn tendio'r ardd, yr ieir a'r afr. Rhaid i ni freuddwydio, yn does? Nod i'w gyrraedd yn araf bach yw e, nid set o reolau caeth am sut i fyw, sut i wario, a sut i fwyta.

Cyn i fi ddechrau sôn am y problemau sy'n wynebu ein daear a beth allwn ni fel unigolion ei wneud i helpu'r achos, dwi am bwysleisio nad llyfr gwyddonol yn llawn ystadegau a data yw hwn, ond llyfr yn llawn syniadau, tips, ryseitiau ac anogaethau wedi'u seilio ar brofiad un ferch sydd ddim yn arbenigwraig, ond sy'n dal i ddysgu … ac yn dal i wneud *lot* o gamgymeriadau!

Pam Gwyrddach?

Does neb yn berffaith, dim hyd yn oed y ddynes 'na ar Instagram sydd wedi llwyddo i wasgu gwerth blwyddyn o wastraff teulu o wyth i mewn i un jar wydr fach … mae'n bwysig cofio hynny! Peidiwch â meddwl fod gen i ryw gartref diwastraff minimalaidd, lle mae pob eitem yn gynaliadwy a does dim tamaid o blastig i'w weld. I'r gwrthwyneb; mae'r lle'n llawn dop o stwff (dwi'n dal wrthi'n chwynnu), mae gen i fag ailgylchu'n llawn pecynnau bwyd plastig yn mynd allan yn wythnosol, ac mae 'nghwpwrdd dillad i'n dal i fod yn llawn dillad hollol anghynaladwy.

Mae byw bywyd gwyrddach yn gyraeddadwy; mae lle i gael methiannau a dyddiau sydd ddim cweit cystal. Ry'n ni'n mynd i anghofio'r bagiau siopa. Ry'n ni'n mynd i brynu'r botel blastig yna o fêl yn hytrach na'r jar wydr. Ry'n ni'n mynd i anghofio gwrthod gwelltyn plastig wrth archebu coctel. Mae hyn i gyn yn hollol ocê … byddai bywyd yn rhy anodd fel arall. A dweud y gwir, dwi ddim yn meddwl ei bod hi'n bosib byw bywyd 100% yn wyrdd yn y byd fel mae e heddiw, ond mae'n bosib byw bywyd gwyrddach.

Pwrpas blog Gwyrddach, a'r llyfr hwn, yw cynnig syniadau am sut i wneud y broses o leihau gwastraff mor hawdd ac ymarferol â phosib, heb orfodi unrhyw un i wneud rhyw newidiadau eithafol, ac yn aml iawn amhosib, i'w ffordd o fyw.

BETH YW'R BROBLEM?

Petawn i'n dechrau rhestru'r holl broblemau amgylcheddol mae'r byd yma'n eu hwynebu ar hyn o bryd, fyddai dim lle ar ôl yn y llyfr i sôn am yr ateb! Felly dwi wedi dewis dau bwnc i'w trafod (yn fras *iawn*) yma.

1. Newid Hinsawdd

Dim ond yn weddol ddiweddar rydyn ni wir wedi dechrau sylweddoli faint o effaith mae dynoliaeth yn ei gael ar newid hinsawdd fyd-eang. Mae'r ymchwil yn parhau ond mae hi nawr yn amlwg fod cynnydd dynolryw wedi cael effaith niweidiol ar ein hamgylchedd.

Ar ôl darganfod glo, olew a nwy naturiol, fe fuon ni'n pwmpio cemegau gwenwynig i'r atmosffer heb sylweddoli'r canlyniadau, gan greu'r 'effaith tŷ gwydr' (yn syml, pan fo nwyon tŷ gwydr yn ymddwyn fel blanced gan ddal gwres oddi mewn i atmosffer y ddaear) ac achosi'r cynnydd mewn tymheredd ar draws y byd rydyn ni nawr yn ei alw'n 'gynhesu byd-eang'.

Ar ben hyn, rydyn ni'n gymdeithas o ddefnyddwyr sy'n disgwyl gormod ac yn cymryd gormod yn ganiataol, er enghraifft teithio dramor, bwyd sydyn, teithio i'r gweithle neu yn ein cartrefi, troi'r gwres ymlaen yn ein crysau-t – mae'r holl bethau yma'n cyfrannu at newid hinsawdd.

Efallai ein bod ni'n meddwl mai rhyw broblem wyddonol i fyny yn yr atmosffer yn bell oddi wrthym ni yw newid hinsawdd, ac er bod hyn yn wir i raddau, mae'r effeithiau i'w gweld yn llawer agosach at adref. Rydyn ni i gyd wedi sylwi ar y newid yn y tywydd dros y blynyddoedd diwethaf – llifogydd a sychder, stormydd gwyllt a lefelau'r môr yn codi. Rydyn ni wedi profi rhai o'r ffenomenau yma yng Nghymru, tra bod eraill yn digwydd o gwmpas y byd gan ddifetha cnydau a gorfodi miliynau o bobl i adael eu cartrefi.

2. Llygredd Plastig

Ers i blastig gael ei ddyfeisio yn 1907 mae wedi ffeindio'i ffordd i *bobman*. Pam? Achos fod plastig yn wych! Na, dwi ddim wedi colli'r plot – mae'n amlbwrpas, yn wydn, yn anhydraidd, yn gallu gwrthsefyll pwysau trwm ac yn rhad iawn i'w gynhyrchu. Ond mae wedi'i greu o adnoddau anadnewyddadwy, ac rydyn ni'n defnyddio mwy a mwy ohono bob dydd.

Un o broblemau cynhyrchu plastig yw'r ffaith ei fod yn llyncu ynni, a hwnnw'n ynni anadnewyddadwy. Mae hyn yn golygu fod tanwydd ffosiledig niweidiol yn cael ei ollwng i atmosffer y ddaear yn rheolaidd, sy'n ychwanegu at broblem cynhesu byd-eang a newid hinsawdd.

Problem arall yw nad yw plastig yn bydradwy, sy'n golygu fod ein tir, y môr a bywyd gwyllt yn cael eu gwenwyno wrth i ni ei chael hi'n anos rheoli'r holl wastraff rydyn ni'n ei gynhyrchu. Dydy pob darn o blastig ddim wedi cael ei greu'n gyfartal chwaith, ac mae'r rheolau a'r prosesau gwahanol sydd ynghlwm ag ailgylchu'r gwahanol fathau o blastig, yn ogystal â systemau gwahanol gynghorau lleol, yn drysu pobl. Mae deunydd pecynnu plastig yn cael ei wneud o saith math gwahanol ac mae rhai'n fwy addas i'w hailgylchu na'i gilydd. Mewn gwirionedd, mae'r holl beth yn dipyn o ben tost, a dyna un o'r rhesymau pam mai anelu at leihau ein gwastraff yw'r nod, yn hytrach na rhoi'r pwyslais ar ailgylchu.

Mae miliynau ohonom ni wedi gweld y delweddau o effaith gwastraff plastig ar gefnforoedd y byd wrth wylio'r gyfres deledu *Blue Planet II*. Tynnodd Syr David Attenborough sylw at y gwastraff gocheladwy a'r plastig un-defnydd yn ein moroedd sy'n gwneud cymaint o ddrwg i'n hamgylchedd a'n bywyd gwyllt. Roedd y morfil gwyn yn ceisio bwyta bwced plastig, neu'r crwban môr â'r gwelltyn plastig yn sownd yn ei drwyn, yn ddelweddau dychrynllyd, ac yn rhai a wnaeth i fi ailedrych ar fy nefnydd o blastig, a pha fath o bethau y byddai modd i fi eu

Gwylanwydd y Gogledd yn sownd mewn sbwriel morol ar Ynys Gwales, Sir Benfro. ⓗSam Hobson / naturepl.com

newid er mwyn lleihau faint dwi'n ei ddefnyddio ac yn ei wastraffu.

Mae plastig yn distrywio bywyd morol, yn enwedig pysgod, crwbanod môr, adar môr a holl famaliaid y môr. Maen nhw'n dal heintiau o glwyfau wedi'u hachosi gan blastig, yn mynd yn sownd mewn gwastraff plastig, neu'n llyncu plastigau, sy'n arwain at fygu, newyn a boddi. Ac wrth gwrs, mae niweidio bywyd morol gyfystyr â niweidio'n hunain wrth i ni fwyta pysgod a llyncu'r plastigau gwenwynig yma ein hunain.

Does dim hyd yn oed angen mynd i lan y môr i weld effaith ein gwastraff plastig. Y tro nesaf fyddwch chi'n mynd am dro neu'n gyrru o gwmpas Cymru yn y car, alla i fod yn sicr y bydd y perthi a'r cloddiau o'ch cwmpas yn frith o ddarnau bach (a mawr) o sbwriel – lot ohono'n blastig, a'r cyfan oll yn difwyno ein gwlad hardd.

Ffeithiau PLASTIG

- Mae tua 300 miliwn tunnell o blastig yn cael ei gynhyrchu'n fyd-eang bob blwyddyn – a dim ond 10% o hwn sy'n cael ei ailgylchu
- Tybir bod ardal o'r Môr Tawel sydd â chymaint o wastraff mewn un man nes ei bod yn edrych fel ynys – yn ôl rhai amcangyfrifon mae'r ardal ddwywaith maint Texas
- Mae tua miliwn o adar môr a 100,000 o famaliaid môr yn marw bob blwyddyn o ganlyniad i blastig yn ein cefnforoedd
- Erbyn 2050, credir y bydd mwy o blastig yn ein moroedd nag o bysgod
- Daw tua 80% o'r plastig yn ein moroedd o'r tir, gan gynnwys sbwriel sy'n cael ei adael ar draethau, gwastraff sy'n dianc o ffatrïoedd, safleoedd adeiladu a chladdfeydd sbwriel, sbwriel o'n strydoedd sy'n cyrraedd y môr yn dilyn gwynt a glaw cryf a chynnyrch plastig sy'n cael ei olchi i lawr ein toiledau.

BETH YW'R ATEB?

Does dim ateb syml. Petai ateb, byddai rhywun yn filiwnydd a fyddai dim angen llyfr fel hwn arnom ni. Mewn gwirionedd, rhaid i'r ateb ddod oddi wrth ein harweinyddion a'n busnesau mawrion, ond dydy hynny ddim yn golygu na allwn ni fel unigolion wneud gwahaniaeth.

Er ei bod hi'n hawdd i ni gael ein llethu gan ffigyrau ac adroddiadau newyddion dramatig, mae gennym ni fel Cymry reswm i ymfalchïo; mae Cymru'n arwain y ffordd yn y maes amgylcheddol. Yn ôl yn 2009 cyhoeddodd Llywodraeth y Cynulliad strategaeth wastraff drosfwaol ar gyfer Cymru, 'Tuag at Ddyfodol Diwastraff'. Mae'n cynnwys ymrwymiad "i weld Cymru'n defnyddio dim mwy na'i chyfran deg o adnoddau'r ddaear o fewn oes cenhedlaeth" ac yn amlinellu "sut y byddwn yn lleihau ein heffaith ar y newid yn yr hinsawdd".

Yn 2011 Cymru oedd y wlad gyntaf yn y Deyrnas Unedig i godi tâl o 5c am fagiau plastig ym mhob siop. Bedair blynedd yn ddiweddarach, nododd adroddiad fod y nifer o fagiau plastig oedd wedi'u dosbarthu o siopau wedi gostwng 70%. Yn yr un flwyddyn cyflwynodd Lloegr yr un math o dâl am y tro cyntaf, ond dim ond i adwerthwyr mawr.

Erbyn hyn, Cymru yw'r ail wlad orau yn y byd am ailgylchu gwastraff y cartref. Yn yr ugain mlynedd ers datganoli, mae graddfa ailgylchu Cymru wedi codi o ychydig o dan 5% i 64% ac mae'n edrych yn debygol ein bod ni'n mynd i lwyddo i gyrraedd y targed o 70% erbyn 2025. Un o amcanion eraill Llywodraeth Cymru yw sicrhau mai Cymru fydd y wlad 'ail-lenwi' gyntaf yn y byd, trwy wella mynediad at ddŵr yfed mewn mannau cyhoeddus.

Ymhlith yr holl newyddion drwg ac adroddiadau trychinebus ar draws y byd, mae ambell lygedyn o obaith. Mae gwyddonwyr, trwy ddamwain, wedi creu ensym sy'n medru bwyta plastig a gyda mwy o waith ymchwil ac arbrofi, gall y darganfyddiad arwain at ffordd o ailgylchu'r miliynau o dunelli o boteli plastig sydd ar hyn o bryd yn cymryd cannoedd o flynyddoedd i bydru. Maen nhw hefyd yn gweithio ar ridyll seiliedig ar *graphene* sy'n troi dŵr y môr yn ddŵr addas i'w yfed, ac maen nhw wedi llwyddo i fridio cwrel o'r Barriff Mawr a'i drawsblannu'n ôl i'r gwyllt. Mae NASA wedi profi fod y twll yn yr haen osôn yn ymadfer ac mae poblogaeth y gwenyn mêl ar gynnydd. Rydyn ni'n prysur ffarwelio â'n plastig tafladwy, ac fe lwyddodd Prydain i bweru'i hun heb lo am dridiau am y tro cyntaf ers y Chwyldro Diwydiannol.

Ond dyw'r ambell stori bositif yma ddim yn rheswm i chi gau'r llyfr hwn a'i roi ar silff i gasglu llwch – allwn ni ddim gobeithio y bydd rhywun arall yn gyfrifol am wneud gwahaniaeth. Er bod meddwl am sut gall un person gael effaith gadarnhaol yn wyneb yr holl broblemau byd-eang yma yn gallu ymddangos yn anobeithiol, dwi'n credu bod gweithredu fel unigolion yn bwysig, a bod y newid yn ein dwylo ni.

Felly, beth allwn ni fel unigolion ei wneud?

Ar ei symlaf, 3 pheth:

1

Addysgu'n hunain drwy ddarllen, gwylio a gwrando (da iawn chi – os ydych chi'n darllen hwn rydych chi draean o'r ffordd yno yn barod!)

2

Rhannu'r neges drwy arwyddo a rhannu deiseb, mewn sgwrs gyda ffrind neu drwy rannu rhywbeth ar y cyfryngau cymdeithasol – lledaenu'r neges yw hanner y frwydr

3

Newid rhywbeth – mae'r llyfr yma'n llawn syniadau ymarferol. Rhowch gynnig ar un, ac yna un arall, ac un arall eto!

BLE MAE DECHRAU?

Unwaith y byddwch chi'n dod yn ymwybodol o broblem plastig, yn sydyn reit byddwch chi'n ei weld ym mhobman! Mae'n syndod faint o blastig sydd gennym ni yn ein tai, felly pa well lle i ddechrau'r daith ddiwastraff nag o gwmpas y tŷ?

Mae lot o sôn yn ddiweddar am bobl sy'n medru ffitio gwerth blwyddyn o sbwriel i mewn i un jar fach wydr. I fi, mae hyn yn hollol boncyrs ac yn agos at fod yn amhosib i'r person cyffredin. Ond mae lleihau faint o wastraff ry'n ni'n ei greu yn hanfodol, yn enwedig o ystyried faint ohono sy'n cyrraedd ein moroedd. Y ffordd orau dwi wedi'i gweld o dorri i lawr ar wastraff yw dilyn system Bea Johnson â'i '5 Rs'… yn anffodus dyw'r cyflythrennu ddim yn gweithio yn y Gymraeg, ond mae'r neges yr un fath:

Hanfodion Dyddiol

Mae gen i rai hanfodion dwi'n dueddol o'u cadw yn fy mag (neu o leiaf yn y car) o ddydd i ddydd; eitemau sy'n help mawr wrth leihau faint o blastig dwi'n ei ddefnyddio a faint o wastraff dwi'n ei greu.

Dwi wastad yn cario llyfr darllen, cas pensiliau a fy llyfr nodiadau – dwi'n defnyddio'r rhain yn ddyddiol er mwyn cynllunio prydau'r wythnos, yn ogystal â nodi syniadau newydd ac ati.

Fel arall, dyma'r hanfodion sydd wastad yn fy mag, ac sy'n gwneud byw bywyd gwyrddach o ddydd i ddydd yn llawer iawn haws:

- Cwpan te/coffi
- Potel ddŵr
- Bocs bwyd a set o gytleri
- Gwelltyn ailddefnyddiadwy
- Gorchudd bwyd cwyr gwenyn
- Bag siopa
- Bagiau a bocsys bach

y CARTREF

Y cartref yw'r lle ry'n ni'n treulio'r rhan fwyaf o'n hamser, lle ry'n ni'n bwyta, cymdeithasu, caru a byw. Felly, pam yn y byd nad ydyn ni'n rhoi mwy o ystyriaeth i'r pethau ry'n ni'n eu rhoi yn ein cartrefi, a sut ry'n ni'n gofalu amdanyn nhw? Nid yn unig oherwydd yr amgylchedd, ond er ein lles ni ein hunain hefyd.

YNNI A DŴR

Mae'r ffordd rydyn ni'n defnyddio'r pethau yn ein cartrefi ac yn gofalu amdanynt yn effeithio ar faint o ynni rydyn ni'n ei ddefnyddio … ac o ganlyniad yn effeithio ar ein cyfrif banc hefyd. Wrth wneud ambell i newid bach, mae modd arbed ynni ac arian.

Ynni Gwyrdd

Rhaid i ni stopio llosgi glo, olew a nwy – tanwydd ffosiledig sy'n twymo'r atmosffer. Mae newid i gyflenwr ynni gwyrdd yn broses syml; mae'n bosib y byddwch chi'n arbed arian, a byddwch chi'n bendant yn lleihau eich ôl troed carbon.

Tymheredd

Mae lleihau'r tymheredd ar y thermostat dim ond un neu ddwy radd yn gallu lleihau maint y bil heb wneud fawr o wahaniaeth o ran gwres. Cofiwch hefyd reoli pob rheiddiadur yn ôl angen yr ystafell, ac wrth gwrs gau'r llenni gyda'r nos a gwisgo digon o ddillad cynnes.

Teclynnau

Prynwch y teclynnau mwyaf effeithlon (chwiliwch am logo'r Ymddiriedolaeth Arbed Ynni) a chofiwch ddiffodd unrhyw declynnau trydanol yn hytrach na'u gadael ar *standby* – mae'r rhain yn dal i ddefnyddio trydan. Yn well fyth, ceisiwch leihau nifer y teclynnau trydanol sydd o gwmpas y tŷ … mae'n syndod faint o ddiddordebau newydd rydych chi'n eu meithrin wrth gael gwared ar y teledu!

Ynysu

Mae'n syndod faint o wres sy'n cael ei golli o'n tai drwy'r waliau a'r nenfwd, a thrwy fylchau yn y ffenestri a'r drysau – yn enwedig mewn hen dai! Gwnewch yn siŵr eich bod wedi ynysu'r tŷ yn gywir (gellir gwneud hyn â phob math o ddeunyddiau wedi'u hailgylchu a deunyddiau naturiol). Mae pob math o wahanol seliau a rhimynnau atal drafft ar gael ar gyfer bylchau bach yn y ffenestri yn ogystal â bylchau mwy o gwmpas drysau, neu gwnewch rai eich hun o hen ddillad a darnau o ddefnydd.

Coginio

Wrth goginio, cadwch y caeadau ar unrhyw sosbenni – mae'r bwyd yn coginio'n gynt ac felly byddwch yn defnyddio llai o ynni, ac wrth goginio llysiau, defnyddiwch stemiwr rhenciog.

Ynni'r Haul

Lle bo modd, gosodwch baneli solar ar eich tŷ – naill ai ar gyfer gwresogi'r cartref neu ddŵr poeth.

Papurach yn y Post

Mae'r rhan fwyaf o'r hyn sy'n dod drwy'r post yn mynd i'r bin ailgylchu'n syth, ac felly'n creu gwastraff hollol ddiangen. Cysylltwch â'r Post Brenhinol a'r Gwasanaeth Dewis Post i ddewis peidio â derbyn papurach diangen drwy'r post.

Tegell

Ceisiwch beidio â llenwi'r tegell bob tro, ond yn hytrach ddefnyddio faint o ddŵr sydd ei angen arnoch.

Ymolchi

Trowch y tap i ffwrdd wrth lanhau eich dannedd, a gwneud yr un peth yn y gawod wrth seboni'ch gwallt a'ch corff.

Y Tŷ Bach

Defnyddiwch declyn arbed dŵr yn seston y tŷ bach … neu mae bricsen yn gwneud y tro'n iawn!

CYMHENNU

Dwi'n teimlo fel rhagrithwraig yn siarad am annibendod a thwtio … mae 'nghartref i'n llawn stwff! Ond dwi'n gwella'n araf deg, ac yn clirio'n amlach erbyn hyn. Dwi'n gwneud hyn oherwydd ei bod yn broses foddhaol iawn. Pam ydyn ni'n llenwi'n cartrefi gyda phethau dydyn ni ddim yn eu hoffi na'u defnyddio na'u hangen chwaith?

Os ydych chi fel fi, roedd dechrau ar y broses o gymhennu a symleiddio yn ddychrynllyd gan fod cymaint o stwff ar hyd y lle. Yn hytrach na mynd amdani a cheisio gwneud y cyfan mewn un cliriad anferth, dwi'n dueddol o wneud y gwaith mewn cyfnodau. Bob rhyw dri mis fe fydda i'n mynd o gwmpas pob ystafell yn y tŷ ac yn gwneud rhyw fath o archwiliad er mwyn penderfynu beth sy'n aros a beth sy'n mynd, a dyma fy nghyngor i ar sut i symleiddio a chael gwared ar bethau:

1. Un ar y tro

Y tric yw cymryd un drôr, un cwpwrdd neu un ystafell ar y tro.

2. Cwestiynu

Os nad ydw i wedi defnyddio'r eitem ers blwyddyn, mae'n cael mynd. Ond dwi hefyd yn hoff o feddylfryd Marie Kondo, sydd hefyd yn cael ei hadnabod fel Konmari. Mae hi'n arbenigwr ar dacluso a threfnu, ac wedi ysgrifennu llyfrau ac ymddangos ar ei rhaglen ei hun ar y pwnc. Ei chyngor hi ydi – os oes eitem yn dod â llawenydd i chi, er efallai nad ydych chi'n ei ddefnyddio'n rheolaidd, mae'n ocê i gadw hwn. Os nad yw'n pasio'r prawf llawenydd fe wna i ofyn rhai cwestiynau i fi fy hun:

1. Oes modd ei ailddefnyddio?
2. A fyddai rhywun arall yn falch o'i gael?
3. Oes modd ei werthu?
4. Alla i fynd ag e i'r siop elusen?
5. Beth yw'r ffordd orau i'w waredu?

3. Pentyrru

Wrth ateb y cwestiynau uchod, rhowch yr eitem yn y pentwr priodol a dosbarthu popeth fesul pentwr: cadw, gwerthu, rhoi neu waredu.

GWYRDDNI

Buddion Planhigion Tŷ

Nid yn unig mae planhigion gwyrdd o gwmpas y tŷ yn edrych yn hyfryd, ond mae cadw'r rhai cywir yn helpu i buro'r aer … yr aer sy'n llawn cemegau o'n paent, ein cynnyrch glanhau, ein carpedi a'n plastigau. Yn 1989 cynhaliodd NASA astudiaeth a ddarganfu fod sawl planhigyn tŷ cyffredin yn cael gwared â chemegau carsinogenig, ac mae rhai gwyddonwyr o'r farn bod cadw planhigion o gwmpas y tŷ yn lleihau straen ac yn gwella'r hwyliau. Yng ngeiriau George Harrison, "they give oxygen to the planet, they don't take it away like, you know, traffic jams …"

Dyma rai o'r planhigion gorau ar gyfer puro'r aer yn y cartref ac ambell nodyn bras am sut i ofalu amdanyn nhw:

Tafod y fam yng nghyfraith *(Sansevieria trifasciata)*
Planhigyn cryf sy'n dda ar gyfer y rheiny sydd heb arfer cadw planhigion. Mae'n hoffi heulwen anuniongyrchol, a dim ond angen dŵr rhyw unwaith y mis.

Blodyn corryn *(Chlorophytum comosum)*
Planhigyn hawdd i'w dyfu ac i ofalu amdano. Mae'n hoffi pridd wedi'i ddraenio'n dda (ond nid pridd dyfrllyd) a digon o heulwen anuniongyrchol. Gellir ei luosogi'n hawdd, ac mae'n gwneud anrheg fach hyfryd mewn potyn pert.

Lili heddwch *(Spathiphyllum)*
Mae'n bwysig cadw'r pridd yn llaith ond gofalu peidio â gorddyfrhau. Mae'n hoffi amgylchedd llaith, felly mae'n syniad da i'w niwlo bob hyn a hyn. Mae hefyd yn hoffi bod yn gynnes, ac ymhell oddi wrth ffenestri drafftiog, oer. Mae ffenest sy'n wynebu'r dwyrain yn berffaith ar ei gyfer.

Iorwg/Eiddew *(Hedera)*
Planhigyn arall sy'n hawdd gofalu amdano, ac un arall sy'n hoffi tipyn o heulwen anuniongyrchol ac amgylchedd llaith. Mae'n edrych yn grêt yn ymlwybro i lawr o dop silff lyfrau neu'n hongian. Cofiwch fod iorwg yn wenwynig i gŵn a chathod!

Rhedyn Boston *(Nephrolepis exaltata)*
Mae hwn hefyd yn hoff o ddigonedd o heulwen anuniongyrchol ac yn hoffi cael ei gadw'n llaith, felly mae'n syniad da i'w niwlo'n aml. Cadwch y planhigyn mewn man cynnes a llaith.

Ffigysen wylofus *(Ficus benjamina)*
Mae'n gallu bod braidd yn anwadal, ond yn hyfryd os yw'n cael y gofal cywir. Mae ar ei orau mewn digon o heulwen anuniongyrchol, ond peidiwch â gorddyfrhau – ni ddylid rhoi dŵr iddo tan fod rhyw 2 neu 3 modfedd o dop y pridd yn sych.

ADDURNO

Bob hyn a hyn byddwn ni'n teimlo'r angen i roi côt o baent ar ryw wal, neu brynu clustog neu ryw ddodrefnyn newydd. Erbyn hyn, does dim rhaid i addurno'r tŷ fod yn broses ddrud sy'n cael effaith negyddol ar y blaned. A dweud y gwir, mae hi'n llawer haws erbyn hyn i ni ailwampio ac addurno'n cartrefi mewn ffordd wyrddach.

Ail-law ac Uwchgylchu

Mae prynu dodrefn ac ati'n ail-law yn ffordd effeithiol iawn o leihau ein hôl troed carbon – boed ar y we, mewn siopau elusen neu drwy wefannau cyfnewid. Mae'r un peth yn wir am gael gwared ar hen eitemau – yn lle mynd â nhw i'r sgip, beth am eu cynnig i ffrindiau a theulu neu fynd â nhw i siop ail-law? Neu'n well fyth, a oes ffordd i roi ail fywyd iddyn nhw? Côt o baent a bwlyn newydd efallai, neu ddiweddaru'r clustogwaith ar gadair.

Paent

Mae paent cyffredin a'i lond e o gemegau niweidiol – cyfansoddion organig anweddol neu *VOCs* – sydd dros amser yn cael eu gollwng i'r aer o'n cwmpas, gan niweidio'r amgylchedd a ni ein hunain. Ond erbyn hyn mae'n hawdd prynu paent sy'n isel mewn *VOCs*.

Pren

Wrth chwilio am ddodrefn pren newydd, ceisiwch brynu rhai sydd wedi'u gwneud o bren sy'n ardystiedig gan y Cyngor Stiwardiaeth Coedwigoedd (FSC), sydd yn gynaliadwy, yn hytrach nag o bren sy'n cyfrannu at ddigoedwigo.

GLANHAU GWYRDD

Ar un adeg, roedd y cwpwrdd o dan sinc y gegin a sinc yr ystafell ymolchi a'u llond nhw o boteli plastig llachar. Rydyn ni'n cael ein hannog i brynu'r holl wahanol fathau o gynnyrch glanhau, ac i gredu bod angen gwahanol gymysgedd o gemegau ar gyfer pob arwyneb a thasg o dan haul. Mae dwy broblem ynghlwm â hyn, sef bod y rhan helaeth o'r cynnyrch yma'n llawn cemegau sydd â'r potensial i niweidio'n hiechyd, a'u bod nhw bron i gyd yn dod mewn poteli plastig.

Wrth chwilio am opsiynau gwahanol, y cam cyntaf i fi oedd cyfnewid y cemegau am fersiynau mwy naturiol, a cheisio ail-lenwi'r poteli lle bo modd. Erbyn hyn dwi'n mwynhau glanhau â chynhwysion mwy naturiol, sydd ddim yn costio ffortiwn, sydd ddim yn dod mewn plastig, ac sydd ddim yn gwneud i'm llygaid i ddiferu wrth eu defnyddio. Mae'r syniadau a'r ryseitiau yn y bennod hon yn gweithio … dwi'n addo!

Bocs Tŵls Glanhau Gwyrdd

Ar y dudalen nesaf fe gewch chi'r holl gynhwysion ac eitemau gwahanol sydd eu hangen arnoch chi i gael tŷ glân, gwyrddach:

- Finegr gwyn a finegr lemwn
- Soda pobi
- Alcohol isopropyl
- Sebon gwyn (Castile) hylifol
- Lemwn
- Detholiad o olewau naws
- Detholiad o glytiau a sgwrwyr (mae ailgylchu hen dywelion, crysau-t cotwm a chynfasau gwely wedi'u torri'n sgwariau yn grêt)
- Hen frwsh dannedd/brwsh ewinedd
- Cynwysyddion, e.e. poteli chwistrell a jariau

RYSEITIAU GLANHAU GWYRDD SYLFAENOL

Finegr Lemwn

- Rhowch groen 2 lemwn mewn jar
- Ychwanegwch 2 gwpanaid o finegr gwyn
- Gadewch am bythefnos, cyn pasio'r cyfan drwy ridyll

Glanhäwr Amlbwrpas

Mae hwn yn grêt ar gyfer amrywiaeth o arwynebau yn ogystal â'r sinc, y gawod a'r tŷ bach – defnyddiwch hen frwsh dannedd neu hen frwsh ewinedd i sgwrio rhwng y teils. Ond cofiwch nad yw finegr yn addas ar arwynebau gwenithfaen na marmor.

Cynhwysion

- 1 cwpan o finegr lemwn
- 1½ cwpan o ddŵr
- 10 diferyn o olew naws lemwn

Dull

1. Cymysgwch y cyfan mewn jwg a'i dywallt i botel chwistrell 500ml.
2. Defnyddiwch fel unrhyw lanhäwr chwistrell arall.

NOGENT
FRANCE

Glanhäwr Gwydr

Cynhwysion

- ¼ cwpan o alcohol isopropyl
- ¼ cwpan o finegr
- 1 llwy fwrdd o flawd corn
- 2 gwpan o ddŵr cynnes

Dull

1. Rhowch y cyfan mewn jwg, ei droi'n dda gyda chwisg, yna'i dywallt i botel chwistrell 500ml (efallai y bydd peth dros ben).
2. Mae'n bwysig iawn ysgwyd y botel yn dda cyn ei defnyddio er mwyn cymysgu'r blawd corn sy'n dueddol o setlo ar y gwaelod.
3. Defnyddiwch liain heb wlaniach, yna tudalen o bapur newydd ar y diwedd er mwyn cael gwared ar unrhyw waddod a rhoi sglein dda i'r gwydr/drych.

Cadachau Glanhau Gwlyb

Cynhwysion

- 1 cwpan o ddŵr
- ½ cwpan o finegr gwyn
- ¼ cwpan o alcohol isopropyl
- 12 dropyn o olew naws lafant
- 8 dropyn o olew naws lemwn
- 8 dropyn o olew naws coed te
- Tua 20 sgwaryn o hen ddefnydd – mae hen dywelion wedi'u torri yn berffaith

Dull

1. Rhowch y dŵr, y finegr a'r alcohol mewn jar wydr a throi'r cyfan.
2. Ychwanegwch yr olewau a throi eto.
3. Gwasgwch gymaint o ddarnau bach o ddefnydd â phosib i'r jar a gwneud yn siŵr fod y cyfan wedi'u gorchuddio â'r hylif.
4. Defnyddiwch nhw fel unrhyw gadachau gwlyb eraill, yna'u golchi yn y peiriant golchi a'u rhoi yn ôl yn y jar i socian.

Bomiau Tŷ Bach

Mae'r glanhäwr amlbwrpas yn grêt ar gyfer glanhau arwynebol, ond un o'r ffyrdd mwyaf effeithiol (a'r ffordd sydd fwyaf o sbort) i roi glanheuad da i'r toiled yw gwneud bomiau naturiol.

Cynhwysion

- 1 cwpan o soda pobi
- ½ cwpan o asid sitrig
- 30 dropyn o olew naws o'ch dewis chi (dwi'n hoffi lemwn)
- ½–1 llwy fwrdd o ddŵr

Dull

1. Cymysgwch y soda pobi, yr asid sitrig a'r olew naws.
2. Ychwanegwch y dŵr fesul dropyn tan fod y cyfan yn dod at ei gilydd.

3. Gwasgwch y gymysgedd i mewn i fowldiau silicon neu gasys pobi papur mewn tun (mae'n llenwi tua 7 blwch myffin ond defnyddiwch pa fowldiau neu duniau sydd gyda chi). Cofiwch wasgu'n dda.
4. Gadewch i sychu dros nos, yna gwthiwch y bomiau allan o'r mowld neu'r casyn papur.
5. Rhowch un yn y toiled a'i adael am ryw 15 munud gyda'r caead i lawr, yna sgwriwch yn dda.

Draen Sinc

I glirio draen sinc sydd wedi llenwi dilynwch y camau isod:

1. Berwi llond tegell o ddŵr.
2. Tywallt ½ cwpan o soda pobi i'r draen.
3. Tywallt ½ cwpan o finegr ar ei ôl a gorchuddio'r draen (mae caead sosban yn gweithio'n dda) tan fod yr hisian wedi gostegu.
4. Tywallt y dŵr berwedig i'r draen.

Byrddau Torri

Mae gen i gwpwl o fyrddau torri pren sydd wastad â rhyw staeniau arnyn nhw; betys cochion, saws cyrri, ayyb. Mae'r canlynol yn gweithio'n dda i gael gwared ar staeniau tebyg:

1. Gwasgaru rhyw lond llwy bwdin o halen bras dros y bwrdd, yna rhwbio hanner lemwn drosto.
2. Ei adael am 10 munud cyn ei olchi â dŵr.

Bin Bwyd

Pan fo'r bin bwyd yn dechrau gwynto, golchwch y bin yn dda, yna gwasgaru tamaid o soda pobi dros waelod y bin. Bydd hwn yn amsugno unrhyw leithder sy'n achosi arogl cas.

GOLCHI LLESTRI

Brwshys plastig, poteli plastig o hylif golchi llestri, sbyngau plastig sy'n dod mewn hyd yn oed mwy o blastig … mae'r ardal o gwmpas sinc y gegin yn gallu bod yn gartref i bethau plastig di-ri. Diolch byth, mae digonedd o opsiynau diblastig ar gael.

Hylif Golchi Llestri

Defnyddiwch hylif eco ac ail-lenwi'r botel.

Glanhäwr Peiriant Golchi Llestri

Yn gyntaf, cofiwch olchi ar y gosodiad eco. O ran glanhäwr, chwiliwch am bowdr sydd yn dod mewn bocsys cardfwrdd ailgylchadwy, neu opsiynau eco y gallwch eu prynu mewn pecyn neu eu hail-lenwi.

Brwshys a Phadiau Sgwrio

Ewch am frwsh pren â blew naturiol. O ran padiau, mae'n anodd iawn (neu'n amhosib) ailgylchu'r rhain, felly mae gwau neu grosio eich rhai eich hunain o gotwm organig neu gywarch yn opsiwn da – mae digonedd o diwtorialau ar gael ar-lein.

Os byddwch yn mynd ati i brynu cadachau a sbyngau, ewch am opsiynau ailddefnyddiadwy neu naturiol fel sgwrwyr lwffa a chrafwyr cnau coco.

Papur Cegin

Y broblem gyda phapur cegin yw ei fod yn dod mewn plastig, ac yn dafladwy. Beth am brynu cwpwl o lieiniau ychwanegol o siop elusen, neu dorri cynfas wely yn sgraps i'w defnyddio yn ei le? Fel arall, ewch am opsiwn mwy caredig i'r amgylchedd, fel papur cegin bambŵ sydd hefyd yn llawer cryfach ac yn gallu cael ei olchi dro ar ôl tro a'i ailddefnyddio.

Papur Gwrthsaim

Er mwyn torri i lawr ar faint o bapur gwrthsaim sy'n cyrraedd y bin, mae prynu cwpwl o fatiau a thuniau pobi silicon yn syniad gwych. Maen nhw'n hawdd i'w glanhau ac yn ailddefnyddiadwy.

Clingffilm a Phapur Arian

Defnyddiwch focsys *tupperware*, rhowch blât ar ben y fowlen, neu ddefnyddio gorchudd bwyd cwyr gwenyn (tiwtorial ar dudalen 62).

GOLCHI DILLAD

Fel rydyn ni i gyd yn gwybod, mae golchi dillad yn y peiriant golchi'n defnyddio tipyn o ddŵr a thrydan, ac yn gwneud dim i estyn oes ein dillad. Dwi'n credu hefyd ein bod ni'n aml iawn yn golchi dillad oherwydd arferiad yn hytrach nag angen.

Pan fyddwn ni'n defnyddio'r peiriant, mae'n arfer da i ddefnyddio'r gosodiad eco ac i olchi ar dymheredd isel. Fel maen nhw'n dweud, "if it's not dirty, wash at thirty".

O ran cynnyrch golchi dillad, unwaith eto mae'r rhan helaeth yn llawn cemegau ac yn dod mewn poteli neu focsys plastig. Felly dyma ddau opsiwn ar gyfer lleihau gwastraff wrth olchi dillad.

1. Ail-lenwi

Defnyddiwch hylif caredig i'r amgylchedd ac ail-lenwi'r botel os yw hynny'n bosib.

2. Wy Golchi Dillad

Wy bach plastig yw hwn sy'n dileu'r angen am unrhyw bowdr, hylif, tabledi neu gapsiwlau. Mae wedi'i lenwi â phelenni bach sy'n cynhyrchu ewyn golchi pwerus, ond naturiol. Mae profion annibynnol wedi'u gwneud ar yr Ecoegg (mae mathau gwahanol ar gael, ond hwn sydd gen i) sy'n profi ei fod yn perfformio gystal â glanhäwr arferol, ac mae wedi'i gefnogi gan elusen Alergedd y Deyrnas Unedig a'r Gymdeithas Ecsema Genedlaethol hefyd, felly mae'n berffaith ar gyfer croen sensitif. Y cwbl sydd angen ei wneud yw llenwi'r wy, yna'i ail-lenwi pan fo'r peli bach gwynion wedi troi'n ddim.

Ar ôl blynyddoedd o olchi fy nillad â chemegau o bob math, roeddwn i braidd yn amheus o'r wy hynod hwn. Ond ces i fy synnu o'r ochr orau – mae e wirioneddol yn gweithio! Rhowch yr wy yn y drwm gyda'r dillad (peidiwch â gorlenwi'r peiriant – mae e angen lle i symud o gwmpas) a golchwch ar unrhyw dymheredd hyd at 60°C. Mae dillad yn dod allan yn lân, yn feddal ac yn arogli'n naturiol braf.

Mae glanhawyr dillad arferol yn cuddio arogl naturiol y peiriant golchi … sef arogl y slwj sydd ar ôl yn y peipiau ar ôl golchi! Felly, cyn dechrau defnyddio'r wy bydd angen glanhau'r peiriant (gallwch chi gael tabledi bach oddi wrth Ecoegg yn arbennig ar gyfer hyn) a'i olchi eto bob rhyw chwe mis.

Nid yn unig mae'r wy yn lleihau'r defnydd o blastig tafladwy a chemegau, mae hefyd yn arbed arian. Mae modd prynu wyau sydd â digon o belenni ar gyfer 54 neu 210 neu 720 golch, ac maen nhw'n dweud fod 720 golch yn ddigon ar gyfer teulu o bedwar am dair blynedd.

Yn y GEGIN

Mae'r gegin yn ystafell sy'n gallu bod yn llawn cysur, chwerthin, sbort a chreadigrwydd. Ond hon hefyd yw'r ystafell sy'n cynhyrchu fwyaf o wastraff, boed hynny'n becynnu neu'n wastraff bwyd. Nod cegin wyrddach yw lleihau faint o gynnyrch sy'n mynd i'r compost neu'r bocs gwastraff bwyd, y bag ailgylchu gloyw a'r bag du, a hynny drwy newid arferion dros gyfnod o amser.

Tip: Un o'r camau hawsaf, a mwyaf effeithiol, i dorri i lawr ar wastraff yn y gegin yw cael gwared â'r bin! Cadwch fin bwyd a bin ailgylchu yn unig – bydd hyn yn bendant yn gwneud i chi ailfeddwl cyn taflu popeth i'r bin cyffredin.

Oeddech chi'n ymwybodol fod bron i draean o'r holl fwyd sy'n cael ei gynhyrchu ar draws y byd yn cael ei wastraffu bob blwyddyn? Yn y Deyrnas Unedig mae teulu cyffredin yn taflu gwerth bron £70 o fwyd … bob mis! Rydyn ni'n taflu 7.1 biliwn tunnell o fwyd bob blwyddyn, ac mae 70% o hwnnw'n fwyd y gallen ni fod wedi ei fwyta.

Nid yn unig mae taflu bwyd yn gwastraffu arian, mae hefyd yn cael effaith ar yr amgylchedd. Mae lot o'n bwyd yn cyrraedd y domen sbwriel lle mae'n pydru a chreu nwy methan, sef yr ail nwy tŷ gwydr mwyaf cyffredin.

Mae angen i bethau newid yn y llywodraeth ac yng nghyfarfodydd bwrdd y cwmnïau mawr, ond mae'r ymdrech i leihau gwastraff yn ddeublyg; rydyn ni fel defnyddwyr yn gallu lleihau beth a faint rydyn ni'n ei brynu.

Yn y bennod hon bydda i'n rhannu syniadau ymarferol am sut i leihau gwastraff yn y gegin, drwy sôn am y ffordd rydyn ni'n siopa, yn storio bwyd, yn defnyddio'r hyn sydd gyda ni ac yn cael gwared ar beth sydd ar ôl … gan obeithio y bydd lot llai ohono dros amser.

CYNLLUNIO

Y ffordd orau i leihau faint o fwyd rydyn ni'n ei brynu yn y lle cyntaf yw cynllunio o flaen llaw. Drwy wneud hyn dydyn ni ond yn prynu'n union beth sydd ei angen arnom i goginio'r hyn sydd ar y fwydlen, gan arwain at wastraffu llai ... a gwario llai hefyd.

Mae eistedd i lawr i greu cynllun bwyd yn gyfle da i ystyried pa fwydydd sy'n dymhorol, a beth yn union sydd gennych yn y gegin yn barod. Mae'n syniad da i gadw llyfr nodiadau bach wrth law er mwyn nodi eitemau wrth iddyn nhw ddod i ben. Ar ôl cynllunio'r fwydlen, lluniwch restr siopa … ac er bod yr holl gynigion 3 am bris 2 yn swnio fel syniad da, cadwch at y rhestr!

Tip: Wrth gynllunio, cofiwch am ginio'r diwrnod canlynol – oes modd gwneud digon ar gyfer sawl pryd, neu gall y sbarion gael eu defnyddio i greu pryd gwahanol efallai? Os nad yw creu cynllun wythnosol yn gyfleus o hyd, cynlluniwch ar gyfer dau neu dri diwrnod ar y tro; byddwch chi'n dal i weld llai o wastraff yn y gegin.

TYMHOROL, LLEOL A FFRES

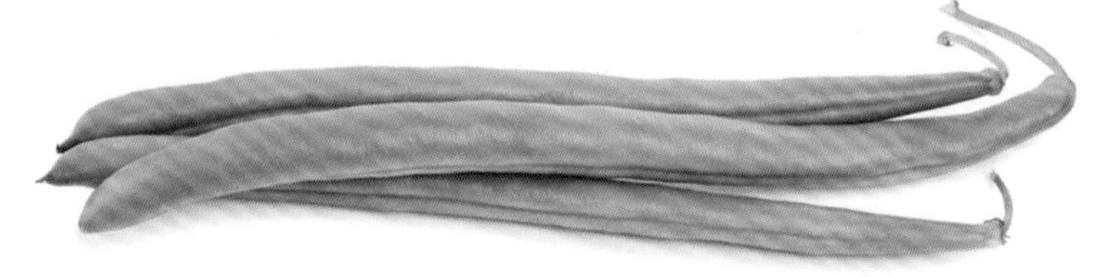

Mae bwyta'n dymhorol, yn lleol ac yn ffres yn lleihau'r ynni sydd ei angen i dyfu a chludo'r bwyd rydyn ni'n ei fwyta, ac yn lleihau'r gost ar gyfer y bwydydd hynny sy'n teithio o bell. Mae bwyta'n lleol hefyd yn helpu'r economi leol, ond efallai'n bwysicach na dim, mae bwyd tymhorol yn fwy ffres, ac felly'n fwy blasus a maethlon. Prin yw'r prosesu, y pecynnu a'r cludiant, ac mae'r gwahaniaeth mewn blas yn syfrdanol. Felly ewch i'ch marchnad leol neu i'r siop fferm agosaf a llenwch eich basged â thato newy' sir Benfro, afalau o'r Gororau a chaws lleol – rydyn ni'n cynhyrchu mwy a mwy o fwydydd lleol a ffres hyfryd yma yng Nghymru, felly mae'n bryd i ni wneud y mwyaf ohonyn nhw!

SIOPA BWYD

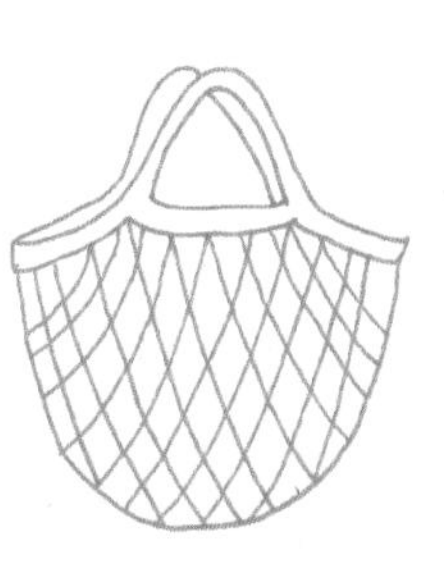

Bydd rhai ohonoch chi sy'n darllen hwn yn ddigon lwcus i fyw yn agos at farchnad leol neu siop ddiwastraff hyd yn oed, ond dydyn ni ddim i gyd mor ffodus. Dwi'n ysgrifennu'r llyfr hwn o safbwynt rhywun sy'n byw mewn pentref sydd ag un siop fach, a'r siop ddiwastraff agosaf 60 milltir i ffwrdd. Yn y dref agosaf – sydd 18 milltir i ffwrdd – does dim gwerthwr llysiau, ond mae marchnad ffermwyr ddwywaith y mis, ambell i siop sy'n gwerthu ffrwythau a llysiau organig, cigydd, popty, siop bysgod a dau neu dri deli.

Mae'n werth nodi fan hyn fod lleoliad, amser ac arian yn gallu cyfyngu ein hopsiynau wrth siopa'n ddiwastraff, felly dewch o hyd i opsiynau sy'n gweithio i chi. Mae hi'n amhosib i fi wneud fy siopa bwyd wythnosol yn ddiwastraff, ond dwi wedi dod o hyd i ffyrdd o'i wneud yn *llai* gwastraffus, ac onid dyna yw nod y bywyd gwyrddach yma?

SUT I SIOPA BWYD *yn wyrddach*

- Defnyddiwch eich siopau lleol, annibynnol sy'n cynnig cynnyrch diwastraff neu sy'n defnyddio llai o becynnu, e.e. siop y cigydd, popty, siop bysgod, gwerthwr ffrwythau a llysiau a deli.
- Rhowch alwad i'r gwerthwr llaeth lleol er mwyn cael eich llaeth mewn poteli gwydr – mae ambell werthwr llaeth da yn cynnig hufen a sudd mewn poteli gwydr hefyd.
- Gwnewch y mwyaf o'ch marchnad ffermwyr leol os oes un ar gael.
- Defnyddiwch eich bagiau siopa eich hun, hen rai plastig cryf neu fagiau cotwm, a chariwch set o fagiau llai ar gyfer y pethau hynny mae'n bosib eu prynu'n rhydd – rhai ffrwythau a llysiau, a nwyddau wedi'u pobi.
- Cariwch jariau gwydr a bocs(ys) plastig neu fetel ar gyfer prynu cig a physgod ffres o'r archfarchnad neu o siop y cigydd a'r siop bysgod leol.
- Ceisiwch ddod o hyd i becynnau plastig sy'n ailgylchadwy, ac osgowch y rheiny sydd â gormodedd ohono neu nad oes modd eu hailgylchu.

- Chwiliwch am siopau sy'n cynnig gwasanaeth ail-lenwi, e.e. olew coginio a hylif golchi llestri.

www.ruthje
BoWeevil

COGINIO

Mae modd gwneud nifer o'r eitemau ry'n ni'n eu prynu ein hunain. Felly, os oes diddordeb mewn coginio gyda chi, a pheth amser sbâr, dyma ambell rysáit ar gyfer creu rhai bwydydd sylfaenol sy'n handi i'w cadw yn y cwpwrdd ... maen nhw hefyd yn gwneud anrhegion hyfryd.

1. Menyn

Er efallai fod y broses i weld braidd yn drafferthus, yn y bôn mae gwneud menyn yn hawdd iawn; dim ond un neu ddau o gynhwysion sydd eu hangen, mae'n ffordd o reoli faint o halen sydd ynddo ac mae'n hawdd ychwanegu blasau fel garlleg, perlysiau, neu frandi hyd yn oed! Dylid bwyta menyn heb halen o fewn rhyw 2–3 diwrnod, ond bydd menyn sy'n cynnwys halen yn para am ryw 2–3 wythnos.

Cynhwysion

(digon ar gyfer rhyw 500g o fenyn a 500ml o laeth enwyn)

- 1.2 litr / 2 beint o hufen dwbl
- 1 llwy de o halen (opsiynol)

Dull

1. Tywalltwch yr hufen i fowlen lân a defnyddio cymysgwr trydan i'w chwisgio ar gyflymder canolig.
2. Parhewch i gymysgu tan fod yr hufen yn dechrau ffurfio talpiau bach solet – bydd y llaeth enwyn yn gwahanu a'r menyn yn slochian o gwmpas y fowlen.
3. Rhidyllwch y gymysgedd a chadwch y llaeth enwyn i wneud sgons neu fara soda neu i'w yfed.
4. Rhowch y menyn yn ôl yn y fowlen a churwch eto am ryw 30 eiliad i funud, i fwrw allan mwy o'r llaeth enwyn. Rhidyllwch unwaith eto.
5. Llenwch y fowlen sy'n cynnwys y menyn â dŵr oer iawn a defnyddiwch ddwylo glân (neu batiau menyn os ydyn nhw ar gael) i'w dylino gan ryddhau cymaint o'r llaeth enwyn â phosib. Mae hyn yn bwysig iawn oherwydd bydd unrhyw laeth enwyn sydd ar ôl yn suro'r menyn.
6. Draeniwch y dŵr, ac ailadrodd cam 5 ddwywaith eto tan fod y dŵr yn hollol glir.
7. Taenwch y menyn yn haenen denau ac ysgeintiwch yr halen yn gyson a'i gymysgu'n dda â'ch dwylo. Pwyswch ddau dalp 250g yr un, a'u siapio'n flociau gyda'ch dwylo gwlyb. Gorchuddiwch mewn papur gwrthsaim a'i gadw yn yr oergell – mae'n rhewi'n dda hefyd.

2. Sôs Coch

Cynhwysion

(ar gyfer tua 800ml)

- 1.1kg o domatos aeddfed wedi'u torri'n ddarnau
- 1/3 winwnsyn, wedi'i dorri'n fras
- 3–4 clof garlleg wedi'u pilio a'u torri'n fras
- 35g o halen
- 300g o siwgr mân
- 200ml o finegr gwin coch
- Pinsied o bupur Cayenne neu fflochiau tsili
- 3–4 clof cyfan
- Cneuen yr India (nytmeg), wedi'i gratio

Dull

1. Rhowch yr holl gynhwysion, heblaw am gneuen yr India, mewn sosban fawr a'u mudferwi am ryw 3 awr.
2. Gwnewch yn siŵr eich bod yn troi'r gymysgedd yn aml er mwyn osgoi llosgi'r gwaelod.
3. Gadewch i'r saws oeri rhywfaint cyn ei roi mewn prosesydd bwyd i'w falu'n fân, ac yna'i basio trwy ridyll. Ychwanegwch beth o gneuen yr India wedi'i gratio, fel y mynnwch.

Storiwch y sôs coch mewn poteli neu jariau gwydr bach sydd wedi'u sterileiddio. Wedi'u selio'n gywir, bydd y rhain yn cadw'n dda mewn cwpwrdd tywyll, oer. Unwaith y bydd y botel neu'r jar wedi agor, cadwch nhw yn yr oergell ble byddan nhw'n cadw'n dda am hyd at fis.

3. Mwstard

Mae nifer o ryseitiau gwahanol ar gyfer gwneud mwstard cartref, felly arbrofwch, ond mae hwn yn un o'm ffefrynnau i …

Cynhwysion

(digon ar gyfer 400g)

- 100g o hadau mwstard du
- 100g o hadau mwstard melyn
- 75ml o gwrw Cymreig
- 75ml o finegr
- hanner llwy fwrdd o halen môr
- llond llwy fwrdd o fêl

Dull

1. Rhowch yr hadau mewn dysgl fawr a thywallt y cwrw drostynt. Trowch yn dda a gorchuddiwch y ddysgl â phlât. Gadewch ar wres ystafell dros nos.
2. Drannoeth, hidlwch yr hadau dros ddysgl. Rhowch eu hanner nhw mewn blendiwr er mwyn torri'r gymysgedd i lawr, yna dychwelwch nhw i'r ddysgl at weddill yr hadau.
3. Ychwanegwch yr halen môr, finegr a mêl a throwch y cyfan yn dda cyn rhannu i mewn i jariau wedi'u sterileiddio.

4. Llaeth Ceirch

Ry'n ni'n ceisio torri i lawr ar faint o gynnyrch llaeth ry'n ni'n ei ddefnyddio yn ein tŷ ni, ac mae llaeth ceirch wedi dod yn ffefryn ar gyfer coffi; mae'n syndod o hufennog!

Cynhwysion

(digon ar gyfer tua 500ml)

- 100g o geirch
- 700ml o ddŵr oer (a mwy ar gyfer socian)
- Halen (opsiynol)
- Fanila (opsiynol)

Dull

1. Sociwch y ceirch mewn dŵr – gall hyn fod am 15 munud yn unig, ond dwi'n socian dros nos ar gyfer llaeth mwy trwchus.
2. Ar ôl socian, draeniwch a rinsiwch y ceirch yn drylwyr gan waredu'r dŵr rinsio.
3. Rhowch y ceirch mewn blendiwr gyda 700ml o ddŵr oer a thamaid o halen neu fanila (opsiynol). Blendiwch am 1–2 funud.
4. Hidlwch drwy fwslin i gael gwared â'r mwydion.
5. Storiwch mewn jar yn yr oergell a'i ddefnyddio o fewn 3–5 diwrnod. Mae angen ei ysgwyd yn dda cyn ei ddefnyddio.

5. Hwmws

Cynhwysion

- 200g o ffacbys
- 2 lwy fwrdd o sudd lemwn
- 2 ewin garlleg
- 1 llwy de o gwmin
- Pinsied o halen
- 1 llwy fwrdd o tahini
- 4 llwy fwrdd o ddŵr
- 2 lwy fwrdd o olew olewydd
- 1 llwy de o baprica

Dull

1. Draeniwch a golchwch y ffacbys.
2. Rhowch y ffacbys, y sudd lemwn, y garlleg, y cwmin, yr halen, y tahini a'r dŵr mewn prosesydd bwyd a'u cymysgu tan eu bod yn ffurfio past hufennog.
3. Ychwanegwch fwy o sudd lemwn, garlleg, cwmin neu halen fel y mynnwch.
4. I'w weini, taenwch ychydig o olew ac ysgeintio'r paprica drosto.

klean kanteen

PECYNNU

Bydd nifer ohonom ni'n ei chael hi'n anodd cael gafael ar bopeth sydd ei angen arnom heb becyn, felly dyma rai syniadau am sut i roi ail fywyd i ambell un ohonyn nhw:

Papur menyn	→	leinio tuniau pobi
Caniau	→	pot blodyn / twba dal pensiliau / tun pobi
Jariau a photeli	→	storio bwyd / bocs tocyn bwyd
Bocsys wyau	→	tyfu hadau / storio trugareddau bach fel sgriwiau, darnau Lego ayyb.
Cyrcs poteli gwin	→	hysbysfwrdd

CLINGFFILM

Gorchudd Bwyd Cwyr Gwenyn

Un peth sy'n wych ar gyfer storio bwyd, ac sy'n lleihau'r plastig yn y gegin, yw defnyddio gorchudd bwyd cwyr gwenyn yn lle clingffilm. Wrth storio bwydydd yn y pantri, bydda i fel arfer yn rhoi plât ar ben y fowlen yn lle clingffilm, ond roeddwn i am ddod o hyd i ddulliau eraill o storio bwyd, a dyma fi'n dod ar draws gorchudd bwyd cwyr gwenyn. Mae digonedd o'r rhain ar gael i'w prynu mewn siopau lleol erbyn hyn, ond maen nhw mor hawdd i'w gwneud eich hunain, ac yn llawer rhatach hefyd.

Deunyddiau sydd eu hangen

- Cwyr gwenyn (gofynnwch i wenynwr lleol neu mae modd prynu peli ar-lein)
- Defnydd cotwm (mae chwarteri tewion yn berffaith)
- Siswrn (yn ddelfrydol, siswrn pincio)
- Haearn smwddio
- Papur gwrthsaim
- Arwyneb mawr gyda rhyw fath o orchudd arno i'w arbed, e.e. mat torri mawr

Dull

1. Golchwch a sychwch y defnydd a'i dorri'n sgwariau gwahanol feintiau – rhai'n ddigon mawr i orchuddio bowlenni mawr, eraill i lapio eitemau bach. Siswrn pincio sydd orau i wneud hyn er mwyn stopio'r defnydd rhag raflio.
2. Gorchuddiwch arwyneb gweithio mawr, fflat â rhywbeth sy'n gwrthsefyll gwres – fel mat torri gwyrdd mawr. Torrwch ddau ddarn mawr o bapur pobi, y ddau'n fwy na'r darn mwyaf o'r defnydd, a rhoi un ar yr arwyneb gweithio.
3. Gosodwch un darn o ddefnydd ar y papur pobi a gratio'r cwyr gwenyn, neu wasgaru llond llaw o beli cwyr, yn gyfartal drosto, gan wneud yn siŵr bod digon o gwmpas yr ymylon.
4. Gosodwch yr ail ddarn o bapur pobi ar ben y defnydd a defnyddio haearn smwddio twym i smwddio drosto, gan fynd yn ôl ac ymlaen sawl gwaith nes bod y cwyr wedi toddi dros y defnydd i gyd.

STEAM TIP

5. Tynnwch y papur pobi oddi ar y defnydd a gwneud yn siŵr fod y cyfan wedi'i orchuddio â'r cwyr (bydd y darnau sydd heb eu gorchuddio yn oleuach). Os oes darnau heb gwyr, taenwch ychydig dros yr ardaloedd hynny ac ailadrodd cam 4 nes bod y cyfan wedi'i orchuddio (mae'n well cael gormod o gŵyr na dim digon).
6. Tynnwch y defnydd oddi ar yr arwyneb gweithio a'i hongian i sychu – bydd y defnydd yn caledu a chryfhau wrth sychu. Mewn rhyw 5 munud bydd y gorchudd yn barod i'w ddefnyddio!

Defnyddio a Gofalu am y Gorchudd Bwyd Cwyr Gwenyn

Gorchuddiwch eich dysgl neu ddarn o fwyd a phlygu'r gorchudd i ffitio'n daclus – bydd gwres eich dwylo'n toddi'r cwyr ddigon i gadw'i siâp.

Ar ôl ei ddefnyddio, gellir golchi'r gorchudd ag ychydig o ddŵr cynnes a sebon (nid dŵr poeth neu bydd y cwyr yn toddi!) a'i adael i sychu'n naturiol.

Os yw'n dechrau edrych yn ddi-raen a ddim yn cadw'i siâp gystal, gellir ychwanegu mwy o gwyr ato.

Tip: Nid yw'r gorchudd cwyr yn hollol seliedig nac yn ddeunydd gwrth-ddŵr, felly nid yw'n addas ar gyfer bwydydd hynod o wlyb. Mae'n gweithio'n well ar gyfer storio bwydydd sych am ychydig ddyddiau.

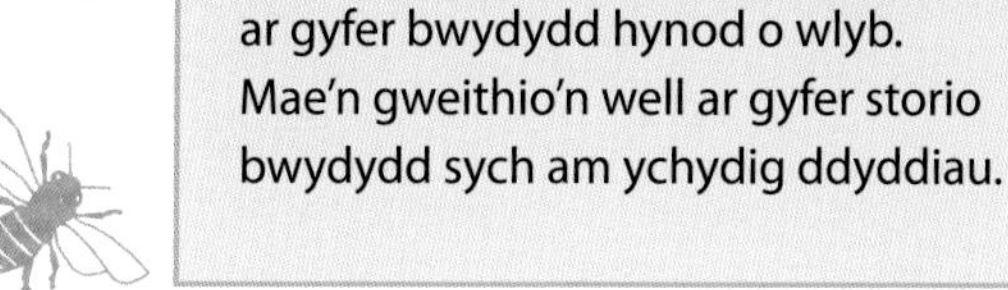

PANED

Paned, panad, cwpaned, dished, dishgled … rydyn ni'r Cymry wir yn dwli ar de. Mae nifer ohonom ni'n dechrau pob bore gyda phaned, ac yna'n parhau i'w hyfed nhw'n ddi-stop drwy gydol y dydd. Mae'n gysurlon, yn amrywiol, ac yn gallu bod yn arbennig iawn. Fel un sy'n hoff iawn o gwpaned o de, ges i fy siomi'n fawr pan wnes i ddarganfod fod plastig mewn bagiau te! Beth sy'n fy ngwneud i'n ofnadwy o grac yw'r ffaith fod yr holl gwmnïau te yma wedi bod yn cuddio'r ffaith, gan adael i bobl daflu'u bagiau te ar y domen gompost gan lygru'r ddaear â mwy o blastig.

Pa fath o blastig?

Mae'r mwyafrif o fagiau te yn cynnwys rhywfaint o bolypropylen, sy'n helpu i selio'r bagiau – yr un stwff sy'n cael ei ddefnyddio i gynhyrchu gwellt yfed a chapiau poteli dŵr. Ac fel rhai sy'n caru te, mae gwledydd y Deyrnas Unedig yn cyfrannu'n helaeth at y llygredd plastig sy'n dod o'r bagiau yma. Yn ôl Cymdeithas De a Thrwythau'r Deyrnas Unedig rydyn ni'n yfed 60.2 biliwn o baneidiau bob blwyddyn, a 96% o'r rheiny wedi cael eu gwneud gan ddefnyddio bagiau te – y rhan fwyaf ohonyn nhw ddim yn bydradwy nac yn addas ar gyfer compost oherwydd y tamaid bach yna o bolypropylen sydd yn eu selio.

Mae cwmnïau'n dechrau chwilio am opsiynau diblastig, ac mae ambell gwmni'n gwerthu bagiau te cwbl ddiblastig, fel rhai bagiau Clipper a Teapigs, er enghraifft. Ond mae pethau'n datblygu'n gyson felly mae hi bob amser yn syniad da gwneud peth ymchwil cyn prynu'ch bagiau te. Ond i osgoi'r risg, beth am ddechrau defnyddio te rhydd? Er mwyn mwynhau paned hollol ddiwastraff, gwnewch yn siŵr bod eich llaeth yn dod mewn poteli gwydr. Mae nifer o siopau bach lleol bellach yn cynnig llaeth mewn gwydr, a daeth y gwerthwr llaeth lleol yn boblogaidd unwaith eto dros y blynyddoedd diwethaf – beth sy'n brafiach na chlywed tincian y botel wydr ar y stepen drws gyda'r wawr?

Y BANED *Berffaith*

Mae yna amrywiol syniadau a theorïau ynglŷn â sut i wneud y baned berffaith, ond mae gan bawb eu ffyrdd eu hunain o wneud paned.

1. Dewiswch eich te – er enghraifft, te du os ydych chi wedi blino, pupur-fintys ar ôl pryd mawr a phaned o de camri (*camomile*) i ymlacio ar ddiwedd y dydd. Rhowch y dail yn syth yn y tebot, neu mewn trwythwr neu fag te cotwm ailddefnyddiadwy. Rhowch un llwyaid de dda i bob person.

2. Dewiswch eich hoff debot neu gwpan – mae yfed o hoff gwpan yn gwneud i'r baned flasu'n well!

3. Defnyddiwch ddŵr oer, ffres yn y tegell. Peidiwch byth â defnyddio dŵr sydd yn y tegell yn barod – defnyddiwch hwn i ddyfrhau'r planhigion neu i olchi'r llestri.

4. Ar ôl berwi, gadewch i'r dŵr oeri am gwpwl o funudau – bydd dŵr berwedig yn llosgi'r dail te.

5. Trwythwch am gyfnod penodedig yn dibynnu ar y math o de:

   – Te du = 3–5 munud
   – Te gwyrdd = 1–3 munud
   – Te gwyn = 3–4 munud
   – Te llysieuol = 3–5 munud

FFORIO A CHYFFEITHIO

Mae cyffeithio bwyd tymhorol wedi bod yn rhan gynhenid o fywyd erioed, a chyn dyfodiad y rhewgell byddai pob cartref yn llenwi'r pantri â phob math o fwydydd wedi'u piclo, eu halltu, eu sychu, eu potelu a'u canio. Na, does dim rhaid cyffeithio'n cynhaeaf i allu goroesi'r gaeaf erbyn hyn, ond mae'n ffordd wych o achub lot o fwyd rhag y domen, gan arbed arian a lleihau gwastraff.

Mae'n ddigon hawdd cyffeithio pob math o fwydydd, a dyma drosolwg bach o ambell ddull digon syml o gyffeithio bwyd ac un neu ddwy o ryseitiau hawdd. Trosolwg yn unig sydd yma, ond mae digonedd o wahanol ryseitiau ar gael mewn llyfrau ac ar-lein.

Hyd yn oed os nad oes llond gardd o gynnyrch gyda chi'n barod i'w gyffeithio, mae modd dod o hyd i lawer o fwyd addas ym myd natur. Does dim byd fel bwyta tarten mwyar duon rydych chi wedi'u casglu o'r cloddiau, neu gymryd dracht bach o jin eirin tagu yn nyfnder gaeaf. Dwi wrth fy modd yn mynd â'm basged allan i'r goedwig i hel madarch (cofiwch ddysgu pa rai sy'n ddiogel i'w casglu – mae gen i ŵr sy'n dipyn o arbenigwr, ac mae'n handi iawn cael un o'r rhain gerllaw!). Pan fyddwn ni ar ein gwyliau, byddwn ni'n anelu am yr arfordir i chwilota am lysiau morol a physgod cregyn. Mae sawl cwrs fforio ar gael ar draws Cymru, ac mae'r rhain yn ffordd wych o ddysgu beth i chwilio amdano ac ymhle. Cofiwch hefyd olchi popeth yn drylwyr.

Tip: I sterileiddio jariau, golchwch nhw mewn dŵr a sebon, yna'u rhoi i sychu ben i waered mewn ffwrn ar 160°C am 10–15 munud.

Rhewi

Y dull mwyaf cyffredin a symlaf o gyffeithio yw rhewi – fel arfer ar gyfer sbarion, ond mae modd rhewi bwyd am gyfnod hir hefyd. Cyn eu rhewi, mae angen sleisio a/neu wynnu nifer o ffrwythau a llysiau, ac yna mae modd eu cadw am 8–12 mis.

Jamio a Jelio

Na, dwi ddim yn sôn am ryw ffasiwn dawnsio newydd, ond yn hytrach am y broses o wneud y mwyaf o ffrwythau'r haf. Does dim angen llond cegin o gynhwysion nac offer arbenigol – dim ond ffrwythau, siwgr a sosban drom.

Jam Mwyar Duon

Cynhwysion

- 450g o fwyar duon ffres
- 450g o siwgr jam
- Sudd 1 lemwn

Dull

1. Rhowch y mwyar duon a'r sudd lemwn mewn sosban fawr (sosban jam os yn bosib, neu sosban ac iddi waelod trwchus fel arall) a'u gadael i fudferwi am ryw 15 munud neu tan fod y ffrwythau'n feddal.
2. Yn y cyfamser, taenwch y siwgr ar dun pobi, a'i dwymo mewn ffwrn ar dymheredd isel – tua 100°C. Ychwanegwch at y ffrwythau meddal a thwymwch tan fod y siwgr wedi toddi.

3. Trowch y gwres yn uwch a dewch â'r gymysgedd i'r berw a'i berwi am 10–15 munud nes bod y jam wedi cyrraedd y pwynt setio.
4. Tynnwch y jam oddi ar y gwres a'i adael am ryw 10 munud, cyn ei rannu i mewn i jariau wedi'u sterileiddio, a'u selio'n syth.

Tip: Er mwyn darganfod a yw'ch jam wedi setio, gwnewch y prawf crychu. Cyn dechrau coginio, rhowch 3 neu 4 soser yn y rhewgell. Pan ydych chi'n barod i brofi'r jam, rhowch lond llwy de ar un o'r soseri. Ar ôl ei adael am funud, gwthiwch y blobyn o jam â'ch bys. Os yw'r wyneb yn crychu, mae'r jam yn barod. Os yw'n dal i fod yn hylifol, coginiwch y jam am ryw 3–5 munud arall cyn ei brofi eto gyda soser lân.

Piclo

Mae pobl wedi bod yn piclo ers canrifoedd, ac erbyn hyn dyma un o'm hoff dechnegau cyffeithio. Mae'n rhyfeddol o syml, ac yn addas ar gyfer pob math o fwydydd – ciwcymbrau, winwns, betys, pysgod, madarch a phob math o ffrwythau a llysiau eraill. Does dim byd gwell na phicl gyda darn o gaws a thafell o fara, a honno'n drwch o fenyn cartref!

Madarch wedi'u Piclo

Cynhwysion

- 1 litr o finegr gwin gwyn
- 1 llwy de o halen
- 1 llwy de o siwgr
- 2 glof garlleg
- Olew olewydd
- ½ llwy de o bupur du
- 1 ddeilen llawryf
- 1kg o fadarch gwyllt bwytadwy, wedi'u glanhau a'u torri'n fras

Dull

1. Rhowch yr holl gynhwysion heblaw am y madarch mewn sosban fawr ac ychwanegu 500ml o ddŵr.
2. Dewch â'r gymysgedd i'r berw ac ychwanegu'r madarch. Coginiwch am 12–15 munud, neu tan fod y madarch wedi'u coginio drwyddynt.

3. Tynnwch y madarch o'r gymysgedd gyda llwy dyllog a'u gosod o'r neilltu i sychu ar liain glân am ryw 3–4 awr tan eu bod yn hollol sych.
4. Tywalltwch olew olewydd i mewn i jar 1 litr wedi'i sterileiddio, ychwanegwch y madarch, yna'u gorchuddio â mwy o olew. Seliwch â chaead tyn.
5. Bydd y madarch yn cadw am 2 fis heb agor y jar, ac am 3–4 diwrnod wedi ei agor.

Potelu neu Ganio

Ar ei symlaf, mae potelu yn golygu cadw bwyd mewn jariau gwydr â chaeadau wedi'u selio dan bwysedd er mwyn cyffeithio'r cynnwys gan ddefnyddio bath dŵr. Gall y dull hwn gael ei ddefnyddio ar gyfer cyffeithio jamiau a jelis neu gynnyrch tomatos asidig a phicls.

Sychu

Dyma un o'r technegau cyffeithio hynaf a mwyaf effeithlon. Mae nifer o ffyrdd i sychu bwyd, a'r gyfrinach yw ei sychu'n ddigon sydyn i beidio â cholli blas a maeth, ond nid ar dymheredd mor uchel nes bod y bwyd yn cael ei goginio … mae'n gallu bod yn broses o brofi a methu. Gellir defnyddio gwres yr haul (er efallai nad yw hyn mor addas yng Nghymru!) neu'r ffwrn, gan gadw llygad barcud ar y tymheredd a chadw'r drws ar agor.

Tomatos wedi'u Sychu

Cynhwysion

- 450g o domatos aeddfed ond cadarn
- 1 llwy fwrdd o olew olewydd
- halen, pupur, oregano sych, fflochiau tsili (opsiynol)

Dull

1. Twymwch y ffwrn i 90°C. Golchwch y tomatos a sychwch nhw'n drylwyr ar liain glân.
2. Hanerwch bob tomato, tynnu'r craidd ac unrhyw hadau a sudd. Torrwch domatos bach yn chwarteri, a rhai mwy yn ddarnau bychain.
3. Rhowch nhw mewn bowlen fawr a thywallt yr olew drostynt gan eu troi a'u trosi'n ofalus – dyma'r adeg i ychwanegu pinsied o halen, pupur, perlysiau sych neu fflochiau tsili os ydych chi eisiau rhoi mwy o flas iddyn nhw.
4. Rhowch y darnau ar rwyll fetel wedi'i gosod ar dun pobi, gan adael o leiaf modfedd rhwng pob darn. Rhowch y tomatos ar silff ganol y ffwrn, a chymerwch olwg arnyn nhw bob rhyw hanner awr. Byddan nhw'n debygol o fod yn barod ar ôl tua 2–3 awr, ond mae'n dibynnu ar eich ffwrn ac ar y tomatos eu hunain. Pan fydd yr ymylon yn cyrlio a'r tomatos yn lleihau i tua thraean o'u maint gwreiddiol, tynnwch nhw allan.
5. Gadewch iddyn nhw oeri, yna'u rhoi mewn jariau wedi'u sterileiddio a'u gorchuddio ag olew olewydd cyn selio'r jariau.

Eplesu

Nid yn unig mae eplesu bwydydd yn eu cyffeithio, ond mae hefyd yn ffordd o ychwanegu blas at fwydydd a all fod yn ddigon diflas fel arall. Fel arfer mae bwydydd wedi'u heplesu yn eithaf hallt, ac felly'n gweddu'n berffaith gyda bwydydd wedi'u piclo. Ar ben hyn, mae eplesu yn llesol i'n hiechyd, drwy adfer bacteria iach yn ein coludd. Yn wahanol i botelu neu ganio, mae eplesu'n cadw bacteria iach yn fyw er mwyn cyffeithio, ac mae'r bwyd yn aros yn amrwd. Fe allwch chi eplesu popeth o ffrwythau a llysiau (pethau fel *sauerkraut* a *kimchi*) i laeth ac iogwrt a hyd yn oed dŵr (*kefir*).

Sauerkraut Syml

Mae eplesu llysiau yn hawdd iawn. Y cyfan sydd ei angen arnoch yw jariau wedi'u sterileiddio, llysiau, mwslin, papur pobi ac ychydig o amynedd.

Cynhwysion

Digon ar gyfer tua 1 litr

- 1 fresychen wen (tua 2kg)
- 3 llwy fwrdd o halen môr
- 1 llwy de o hadau carwe (opsiynol)

Dull

1. Gwnewch yn siŵr fod eich dwylo, ac unrhyw beth arall sy'n dod i gysylltiad â'r bresych, yn hollol lân, cyn ei sleisio'n fân.
2. Taenwch yr halen drosto a'i dylino i mewn i'r bresych am ryw 5 munud. Arhoswch 5 munud cyn ailadrodd y broses. Dylai'r bresych fod yn eistedd yn ei heli ei hun erbyn hyn. Ychwanegwch yr hadau carwe os ydych chi'n eu defnyddio.
3. Stwffiwch y bresych i mewn i jar wedi'i sterileiddio, gan ei wasgu o dan yr hylif. Os oes angen, ychwanegwch beth dŵr

i sicrhau fod y bresych wedi'i orchuddio'n gyfan gwbl.

4. Seliwch y jar â chaead tyn neu bapur hidlo coffi wedi'i ddiogelu â band lastig, a gadewch y bresych i eplesu am o leiaf pythefnos ar wres yr ystafell nes bod gennych flas rydych chi'n hapus ag ef. Os ydych chi'n defnyddio caead tyn, agorwch e'n ddyddiol er mwyn iddo 'becial' a rhyddhau unrhyw wasgedd gormodol.
5. Unwaith rydych chi'n hapus â'r *sauerkraut*, rhowch gaead tyn arno a'i symud i bantri oer neu i'r oergell. Bydd yn cadw mewn oergell am ryw 6 mis.

Diodydd

Ffefryn arall gen i yw creu diodydd ffrwythau a blodau; cordial, sudd ac ambell botel o rywbeth cryfach! Does dim byd gwell ar ddiwrnod braf na llond jwg o ddiod ysgawen, nac ar ddiwrnod oer o hydref na sipian gwydraid bach o jin eirin tagu.

Jin neu Fodca Eirin Tagu

Cynhwysion

- 280g o eirin tagu aeddfed wedi'u golchi
- 140g o siwgr mân
- 600ml o jin neu fodca

Dull

1. Rhowch yr eirin tagu mewn jar 1 litr, ychwanegu'r siwgr a thywallt y jin i mewn. Caewch y caead a'i ysgwyd yn dda.

2. Storiwch y jar mewn man tywyll, gan ei ysgwyd unwaith y dydd tan fod y siwgr wedi toddi.
3. Ar ôl 3 mis, neu hyd yn oed 6 mis neu flwyddyn, hidlwch yr eirin tagu gan ddefnyddio twndis wedi'i leinio â mwslin i dywallt yr hylif i mewn i botel.

4. Seliwch y botel a'i storio mewn man tywyll. Os yn bosib, arhoswch flwyddyn cyn ei yfed er mwyn sicrhau'r blas gorau.

ARAFU

Boed yn wibio drwy *drive-through* neu lowcio pryd parod mewn tair munud fflat, mae cyfleustra yn rhywbeth sy'n ddeniadol iawn i lawer iawn ohonom. Mae ein harferion bwyta wedi newid yn ddramatig o gymharu â chanrif yn ôl, gyda'r ffordd rydyn ni'n siopa, coginio a bwyta wedi cael ei newid gan ein hagwedd tuag at fwyd. Wrth gwrs, dwi'n cyffredinoli rhywfaint yma – mae nifer fawr ohonom ni wrth ein bodd â bwyd, i'r fath raddau nes ein bod ni'n teimlo'r angen i rannu â'r byd bob pryd bwyd rydyn ni'n ei fwynhau!

Yn yr 1980au sylwodd yr Eidalwr Carlo Petrini ar y newid yma yn ein hagwedd at fwyd, ac aeth ati gyda grŵp o bobl oedd yn rhannu'r un safbwynt ag ef i amddiffyn traddodiad lleol, bwyd da a ffordd o fyw araf trwy gydnabod y cysylltiadau cryf sy'n bodoli rhwng plât, planed, pobl, gwleidyddiaeth a diwylliant. Bwriad y mudiad bwyd araf yw ysbrydoli pobl i gymryd diddordeb yn yr hyn maen nhw'n ei fwyta, o ble mae'r bwyd wedi dod a sut mae'n effeithio ar y ddaear o'n cwmpas.

Wrth arafu a chymryd eiliad i feddwl am yr hyn rydyn ni'n ei fwyta, byddwn ni'n fwy tebygol o fod eisiau bwyd **da** (o ansawdd uchel, iachus, ac iddo flas da), **glân** (wedi'i gynhyrchu mewn ffordd nad yw'n niweidio'r amgylchedd) a **theg** (cyflogau teg i weithwyr a phrisiau teg i brynwyr).

TYFU

Dydyn ni ddim i gyd yn ddigon lwcus i gael lle addas i dyfu ein bwyd ein hunain, ond os oes gardd gyda chi, gwnewch y mwyaf ohoni … nid fel fi, sydd wedi gadael i'r ardd dyfu'n rhyw jwngl ddychrynllyd! Neu beth am rentu lle mewn gerddi ar osod lleol? Hyd yn oed os nad oes gardd ar gael, mae gan bawb le i ambell botyn bach er mwyn tyfu perlysiau.

Mae manteision tyfu'n bwyd ein hunain yn niferus – does dim pecynnu a chi sydd â rheolaeth dros y cemegau sy'n cael eu rhoi ar eich bwyd. Bydd y bwyd yn ffres, yn dymhorol ac yn flasus, yn ogystal â bod yn llawer mwy blasus. Ac ar ben hyn i gyd, mae tyfu'n bwyd ein hunain yn helpu i leihau ôl troed ecolegol y diwydiant bwyd drwy osgoi gorfod ei gludo o ben draw'r byd.

Beth / Sut i'w dyfu

Dydw i ddim yn un i sôn rhyw lawer am beth i'w blannu yn yr ardd a sut i'w dyfu … dwi'n anobeithiol! Fe lwyddodd fy ngŵr i dyfu ychydig o datws, moron, betys, corbwmpenni, rhuddygl, garlleg a chidnabêns rai blynyddoedd yn ôl, a wir i chi, dyna'r llysiau neisiaf i fi eu bwyta erioed. Fe ges i gymaint o bleser yn mynd allan i'r ardd fach i'w casglu, eu trin, eu coginio a'u bwyta. Mae'n wir, mae blas llawer iawn gwell ar yr hyn rydych chi wedi ei dyfu eich hunain, ac alla i ddim aros nes y cawn ni gyfle i ailafael yn yr ardd unwaith yn rhagor.

Felly os oes gardd go lew gyda chi, neu ddim ond patshyn bach hyd yn oed, da chi, dysgwch beth i'w blannu a sut i dyfu eich bwyd eich hunain – wnewch chi ddim difaru! Os nad oes modd i chi wneud hyn, darllenwch ymlaen …

Tyfu o sgraps

Os nad oes gardd gyda chi, mae modd aildyfu rhai llysiau o'r sgraps sydd ar ôl wedi i chi orffen â nhw, ac mae'n broses syml iawn.

1. Rhowch waelod llysieuyn fel seleri/shibwns/letysen/ffenigl/cenhinen/*bok choi* mewn cynhwysydd.
2. Ychwanegwch ddigon o ddŵr oer i orchuddio gwaelod y cynhwysydd.
3. Cadwch y cynhwysydd ar sil ffenest neu mewn man sy'n cael digon o olau haul.
4. O fewn 7 diwrnod dylai'r planhigyn egino dail neu goesynnau newydd.
5. Trosglwyddwch y planhigyn i bot â chompost potio, neu i'r ardd, a rhowch ddigon o ddŵr iddo.
6. Gofalwch amdano yn ôl cyfarwyddiadau tyfu'r llysieuyn.

CADW GWENYN

Ydyn, mae gwenyn yn fach, ond maen nhw'n bwerus ac yn chwarae rôl hanfodol yn yr amgylchedd. Nhw yw un o'r pedwar prif beillwyr, ac iddyn nhw y mae'r diolch am bob trydedd cegiad o fwyd rydyn ni'n ei mwynhau! Maen nhw'n trosglwyddo paill i'n cnydau bwyd, yn ogystal â bod yn hanfodol ar gyfer goroesiad nifer o blanhigion eraill sy'n cefnogi'n bywyd gwyllt.

Yn anffodus, maen nhw mewn peryg, yn enwedig y wenynen fêl, ac mae'r boblogaeth yn gostwng. Mae hyn yn digwydd am nifer o resymau, fel colli cynefinoedd blodau gwylltion (rydyn ni wedi colli 97% ohonyn nhw ers yr 1930au), y defnydd o blaladdwyr, ac arfilod (neu barasitiaid). Ond mae modd i ni newid pethau.

Efallai mai'r peth hawsaf y gallwn ni ei wneud yw tyfu blodau gwylltion yn ein gerddi. Hyd yn oed os nad oes gardd gyda ni, mae pot ar sil y ffenest yn gyfraniad gwerthfawr. Rhai o hoff flodau'r gwenyn yw lafant, coed mêl, y werddonell, y rhosyn gwyllt, crocws, y pabi, rhosyn y Nadolig, y lili wen fach, echinacea, y ferfaen a'r bywlys (mae cyfieithiadau i'w cael yng nghefn y llyfr!). Rhaid i ni hefyd roi'r plaladdwyr o'r neilltu a chwilio am opsiynau gwahanol.

Peth arall y gallwch chi ei wneud yw adeiladu gwesty gwenyn, sy'n weithgaredd hyfryd i'w wneud gyda phlant ac sy'n rhoi ail fywyd i hen botel bop blastig neu hen dun bwyd.

Deunyddiau

- Potel blastig 2 litr
- Papur sandio
- Cyllell grefft a mat torri

- Tua 1 metr o linyn cryf
- Tociwr garddio
- Deunydd nythu fel bambŵ, cyrs gweigion a gwellt

Dull

1. Os yn defnyddio potel blastig, defnyddiwch gyllell grefft i dorri'r ddau ben oddi arni i greu silindr. Os yn defnyddio tun bwyd, defnydiwch declyn i agor y ddau ben a golchi'r tu mewn.
2. Torrwch y bambŵ, y cyrs a'r gwellt ryw 3cm yn fyrrach na'r cynhwysydd er mwyn eu hamddiffyn rhag glaw – defnyddiwch dociwr garddio miniog i wneud hyn. Dydy gwenyn ddim yn medru tyllu drwy'r clymau mewn bambŵ, felly osgowch ddarnau â gormod o glymau.
3. Defnyddiwch bapur sandio i lyfnhau pen y bambŵ os yw'n anwastad. Dydy gwenyn ddim yn hoff iawn o ymylon miniog wrth fynd at y tyllau.
4. Cyn llenwi'r cynhwysydd i'r top, gwthiwch y llinyn cryf drwyddo fel bod modd hongian y gwesty gorffenedig.
5. Ychwanegwch fwy o ddeunydd nythu nes bod y cynhwysydd wedi'i bacio'n dynn ac yn ddiogel.
6. Rhowch y gwesty i hongian mewn man cysgodol, heulog a sych ryw 1 metr oddi ar y ddaear.

Os ydych chi mewn sefyllfa i gadw gwenyn, ewch amdani! Yn ogystal â bod yn brofiad gwych ac yn ffordd o helpu'r amgylchedd, fe fydd gennych chi eich mêl ffres eich hun, digonedd o gwyr i wneud *lot* o orchuddion bwyd cwyr gwenyn, a'r cynhwysion i greu eich medd eich hun!

STORIO BWYD

Mae storio bwyd yn gywir yn arwain at lot llai o wastraff, sy'n arwain at lai ohono'n cyrraedd y domen sbwriel a mwy o arbedion ariannol i ni fel unigolion. Er bod rhai o'r awgrymiadau sy'n dilyn yn ymddangos yn amlwg, mae'n syndod faint ohonom ni sy'n storio bwyd yn anghywir a sut mae hyn yn cyfrannu at faint o fwyd rydyn ni'n ei wastraffu'n wythnosol.

Deall y label

'Defnyddier erbyn' – mae hwn yn ymddangos ar fwydydd sy'n pydru'n sydyn, a gall fod yn beryglus bwyta'r rhain ar ôl y dyddiad hwn.

'Ar ei orau cyn' – mae hwn ar gyfer bwydydd sydd ag oes hirach. Mae'n dangos pa mor hir y bydd y bwyd ar ei orau. Fydd ei fwyta ar ôl y dyddiad hwn ddim yn beryglus, ond efallai na fydd yn blasu'n hyfryd!

Oergell a Rhewgell

- Cadwch dymheredd eich oergell o dan 5°C.
- Mae lot o bethau yn addas i'w rhewi, gan gynnwys sbarion, ffrwythau a llysiau, bara a chynnyrch wedi'i bobi, llaeth, iogwrt, wyau, cig, pysgod a chaws (ond nid caws meddal).
- Mae gwydr (oerwch y bwyd yn gyntaf a gadewch ryw fodfedd o'r top yn wag), dur gloyw a hen gynwysyddion plastig i gyd yn addas ar gyfer rhewi.
- Fel nad yw bwydydd yn rhewi'n un lwmp (e.e. ffrwythau, llysiau a thafelli o fara), gallwch eu rhewi mewn un haenen ar hambwrdd yn gyntaf, cyn eu rhannu i mewn i gynwysyddion addas.
- Er y bydd hi'n ddiogel bwyta bwyd sydd wedi'i rewi ers sbel hir, mae'n arfer da i'w fwyta o fewn 3–6 mis.

GWASTRAFF BWYD

Os oes rhywbeth ar ôl nad oes modd ei ailddefnyddio, yna mae'n bwysig ailgylchu, yn hytrach nag anelu am y bag bin du.

Bocs Gwastraff Bwyd

Os nad oes modd i chi gompostio eich gwastraff bwyd eich hunain, defnyddiwch wasanaeth eich cyngor lleol – cofiwch edrych ar wefan eich cyngor i weld beth sy'n dderbyniol i'w roi yn y biniau gwastraff bwyd, ac am fwy o wybodaeth ynglŷn â ble mae'n mynd yn y pen draw.

Compost Cartref

Os ydych chi'n ddigon lwcus i gael eich bin compost eich hun yn yr ardd, tybed a wyddoch chi fod modd taflu'r eitemau canlynol ar y domen, yn ogystal â'ch gwastraff bwyd arferol?

- **Cardfwrdd** – rhwygwch eich rholiau papur tŷ bach, bocsys wyau, bocsys grawnfwyd ayyb a'u hychwanegu at y compost
- **Corcyn gwin** – Mae corc yn gynnyrch naturiol sy'n torri i lawr mewn compost ... ond cadwch lygad am y corcyn ffug, plastig slei 'na!
- **Gwm cnoi** – Mae'n well peidio â defnyddio gwm cnoi o gwbl, ond os ydych chi, rhowch e ar y compost i bydru ... mae'n cymryd sbel, ond fe bydrith yn y pen draw
- **Hancesi papur a chlytiau** – mae'r rhain yn pydru'n gyflym, ond cofiwch, os ydych chi wedi bod yn eu defnyddio oherwydd salwch, y gall y germau dyfu yn y compost
- **Llieiniau a thywelion** – mae unrhyw lieiniau neu dywelion sydd wedi'u gwneud o ddeunydd 100% naturiol, fel cotwm neu liain, yn addas ar gyfer y domen gompost – rhwygwch nhw'n ddarnau bach

IECHYD *a harddwch*

Dwi erioed wedi bod yn un am drio lot o wahanol gynnyrch harddwch, ond er hynny ces i fy synnu wrth weld faint o hylifau, hufennau, siampŵs a chwistrellyddion oedd gen i ym mhob twll a chornel o'r tŷ – pob un yn addo gwneud i fi edrych fel rhyw greadures arallfydol, ond dim un yn llwyddo! Llond y gawod o boteli plastig hanner gwag a sgwrwyr plastig, brwshys dannedd plastig, poteli o sebon a thiwbiau o hylifau hudol yn addurno'r sinc a llond y cwpwrdd o dan y sinc o raseli plastig tafladwy.

Wrth sôn am ofalu amdanom ein hunain mewn modd gwyrddach, yr unig beth alla i ei wneud yw sôn am y gwahanol opsiynau sydd ar gael i chi a rhannu fy mhrofiad personol. Mae'r gair **personol** yn bwysig iawn yn y bennod hon – dwi ddim yma i ddweud wrthych chi bod rhaid i chi ddefnyddio bar siampŵ a rhwbio soda pobi dan eich ceseiliau, dwi yma i ddweud wrthych chi bod y rhain yn opsiynau sydd ar gael i chi. A dwi yma hefyd i'ch annog i drio newid un peth bach – boed yn gyfnewid eich brwsh dannedd am un bambŵ neu beidio â golchi'ch gwallt byth eto. Arbrofwch, a gwnewch beth sy'n gyfforddus i *chi*.

YR YSTAFELL YMOLCHI

Nid yn unig mae cynnyrch ar gyfer yr ystafell ymolchi yn enghreifftiau gwych (wel, ofnadwy) o blastig un-defnydd, ond maen nhw hefyd yn llawn cemegau rydyn ni, am ryw reswm, yn hapus i'w rhwbio dros ein croen. Mae cyfnewid y rhain am opsiynau mwy naturiol ac ailddefnyddiadwy yn ffordd wych o leihau gwastraff yn y cartref, a gofalu am ein cyrff ar yr un pryd.

Symleiddio

Y tric gyda byw bywyd gwyrddach, ym mhob agwedd ohono, yw symleiddio. Ond os yw'ch ystafell ymolchi chi'n llawn plastig, peidiwch â thaflu'r cyfan i'r bin er mwyn gallu dechrau â llechen lân … fydd hynny ond yn ychwanegu at y broblem! Mae sawl opsiwn ar eich cyfer:

a) Gorffennwch beth sydd gyda chi ac ailgylchu'r cynwysyddion pan fo hynny'n bosib

b) Gorffennwch beth sydd gyda chi ac ail-lenwch y poteli

c) Rhowch yr holl hanner poteli o gynnyrch i rywun sydd eu hangen nhw, fel Cymorth i Fenywod Cymru er enghraifft.

Y CORFF

Sebon! Mae'r hen far sebon, druan, wedi colli ei boblogrwydd dros y blynyddoedd diwethaf, gyda jel cawod yn cymryd ei le mewn cawodydd ar draws y wlad. Ond mae sebon yn grêt – mae'n rhad, yn para sbel, ac yn aml iawn yn dod mewn pecyn papur neu heb becyn o gwbl ... ac mae'n gwneud jobyn da iawn o lanhau'r croen!

Os ydych chi fel fi, ac yn dechrau pob diwrnod â chwpaned mawr o goffi, mae wastad ddigonedd o ronynnau o gwmpas y lle. Fel arfer, bydda i'n rhoi'r rhain yn yr ardd, ond mae defnydd arall iddynt – sgrwb corff gwych. Os nad ydych chi'n yfwyr coffi mae'n dal yn bosib i chi fwynhau'r sgrwb hwn – mae siopau coffi fel arfer yn fwy na bodlon rhoi gronynnau i chi yn rhad ac am ddim.

Mae'r coffi yn llawn gwrthocsidyddion ac mae'r caffîn yn tynnu lleithder ac olew gormodol o'r croen. Wrth weithio gyda'r siwgr neu'r halen mae'r gronynnau yn sgwrio'r hen groen marw 'na bant, gan adael y croen yn hyfryd a llyfn. Mae olew cnau coco yn wych ar gyfer lleithio ac yn llawn fitaminau a mwynau.

Cymerwch ofal os oes gennych chi groen sensitif gan fod y sgrwb yn gallu bod braidd yn arw, a gall yr olew wneud y gawod a'r bath yn llithrig!

Cynhwysion

- ½ cwpan o ronynnau coffi
- ¼ cwpan o siwgr gronynnog neu halen
- ¼ cwpan o olew cnau coco
- Fanila, sinamon neu olewau naws er mwyn rhoi arogl dymunol (opsiynol)

Dull

1. Cymysgwch yr holl gynhwysion a'i storio mewn cynhwysydd seliedig.
2. I'w ddefnyddio, rhowch ryw lond llwy de ar eich llaw a rhwbio'n ysgafn – mae'r gronynnau'n ddigon garw heb orsgwrio!
3. Defnyddiwch 1–2 waith yr wythnos.

O ran sgwrwyr, yn lle'r sgwriwr plastig, mae gwlanen yn gwneud y tro yn iawn, yn ogystal â sbyngau a sgwrwyr wedi'u gwneud o ffibrau naturiol, megis sisal a lwffa.

Y CROEN

Dyma ni 'nôl at y sebon eto ... mae bar sebon arferol yn wych, ond mae cymaint o ddewis erbyn hyn o ran sebonau fegan a sebonau naturiol sy'n hollol ddiblastig ac sy'n arbennig ar gyfer gwahanol fathau o groen. Os ydych am ddefnyddio cynhyrchion mwy arbenigol ar gyfer eich croen, chwiliwch am rai sy'n fwy gwyrdd ac sy'n dod mewn pecynnau cardfwrdd neu wydr, neu rai y mae modd eu hail-lenwi.

Os ydych chi eisiau mwy o lanweithiad, mae'r sbwng Konjac yn gynnyrch naturiol sydd wedi ei greu o ffibr llysieuol planhigyn Asiaidd tebyg i daten – planhigyn y mae pobl Japan wedi bod yn ei ddefnyddio ers dros 1,500 o flynyddoedd, ac sy'n boblogaidd fel eitem harddwch ers rhyw ganrif. Mae'r sbwng Konjac yn 100% bydradwy sy'n golygu y gall fynd i'r domen gompost ar ôl i chi orffen gydag e.

Mae'r sbwng yn lanhäwr ar gyfer yr wyneb a'r corff, gan ymddwyn fel fflochennydd ysgafn sy'n helpu i ryddhau a chael gwared ar faw, olew a phendduynnod. Mae cynnwys mwynol a gwrthocsidiol y ffibr yn helpu i faethu a llyfnhau croen yn naturiol, hyd yn oed croen sensitif iawn. Ac mae e'n ddiffwdan i'w ddefnyddio hefyd!

Y cyfan sydd angen ei wneud yw socian y sbwng dan ddŵr cynnes tan ei fod yn hollol wlyb drwyddo, yna gwasgu unrhyw ddŵr gormodol allan (rhwng dwy law fflat – dim trowasgu neu bydd y ffibrau'n cael eu difrodi) a thylino'n ysgafn ar hyd y croen mewn symudiadau cylchog. Does dim angen defnyddio unrhyw gynnyrch ychwanegol, ond mae modd ychwanegu tamaid bach o lanhäwr – bydd y sbwng yn helpu hwn i weithio'n galetach. Ar ôl gorffen, mae'n bwysig ei rinsio'n dda, gwasgu unrhyw ddŵr allan a'i adael i sychu mewn lle agored i'r awyr, neu mewn oergell – dylai bara am 2–3 mis, a gellid ei olchi mewn dŵr berwedig yn wythnosol. Peidiwch byth â'i adael yn y gawod nac mewn pwll o ddŵr, neu bydd yn llwydo.

Mae'r sbwng Konjac ar gael mewn lliwiau gwahanol sy'n dynodi addasrwydd ar gyfer mathau gwahanol o groen:

Gwyn	konjac pur sy'n addas ar gyfer pob math o groen
Gwyrdd	yn cynnwys clai gwyrdd sy'n addas ar gyfer croen 'cyfuniad'
Du	yn cynnwys golosg bambŵ sy'n addas ar gyfer croen problematig ac *acne*
Coch	yn cynnwys clai coch sy'n addas ar gyfer croen sych, sensitif neu aeddfed
Pinc	yn cynnwys clai gwyn a choch sy'n addas ar gyfer croen sensitif

Balm Gwefus Cartref

Os ydych chi'n dioddef o wefusau sych, mae'r balm hwn yn grêt. Mae'r holl gynhwysion yn naturiol, ac mae'r rysáit isod yn gwneud sawl potyn bach, sydd hefyd yn anrhegion hyfryd. Yn well fyth, mae'n rysáit hawdd a diwastraff.

Cynhwysion

- 10g o gwyr gwenyn
- 24g o fenyn shea
- 2 lwy fwrdd o olew afocado
- Olew naws (opsiynol)

Dull

1. Cyfunwch y cwyr, y menyn a'r olew mewn dysgl wydr neu fetel.
2. Gosodwch y ddysgl ar ben sosban â pheth dŵr ynddi ar wres canolig. Trowch y gymysgedd tan fod y cyfan wedi toddi.
3. Tynnwch y ddysgl oddi ar y gwres ac ychwanegwch 2–3 dropyn o olew naws o'ch dewis chi os mynnwch.
4. Bydd y gymysgedd yn caledu'n sydyn, felly tywalltwch hi i mewn i duniau bach metel cyn gynted â phosib.
5. Unwaith y bydd y balm wedi oeri a chaledu'n llwyr, rhowch gaead arno – bydd yn cadw am oddeutu 6–12 mis.

NATURAL BY NATURE OILS
PURE
AVOCADO OIL
50ml
ORANGE

COLUR

Dwi ddim yn defnyddio rhyw lawer o golur, ac mewn gwirionedd dyna'r ffordd orau i leihau gwastraff yn y fan hon! Ond os ydych chi'n un sy'n hoffi defnyddio colur, mae ffyrdd gwyrddach, llai gwastraffus o wneud hynny.

Mae'r galw am gynnyrch cosmetig naturiol wedi cynyddu'n fawr yn ddiweddar, felly mae'n haws o lawer cael gafael ar gynnyrch mwy gwyrdd. Newidiwch un peth ar y tro, a chwiliwch am ddewisiadau eraill neu ryseitiau DIY sy'n eich siwtio chi a'ch croen.

Mae nifer o gynhyrchion cosmetig ar gael bellach mewn cynwysyddion gwydr neu rai ailgylchadwy, felly ewch am y rhain. Yn well fyth, mae ambell gwmni'n cynnig ail-lenwi pob math o golur e.e. minlliw fegan Lush. Mae gwahanol gwmnïau yn cynnig gwasanaeth ail-lenwi ar gyfer gwahanol eitemau yn eu casgliadau. Mae'n werth ymchwilio i weld os yw'ch hoff frand chi yn cynnig gwnud yr un fath.

Yn hytrach na phrynu paceidiau o badiau bach tafladwy, cyfnewidiwch nhw am badiau cotwm organig. Golchwch y pad mewn dŵr oer bob tro ar ôl ei ddefnyddio, ac yna'i olchi yn y peiriant bob hyn a hyn am olch ddyfnach.

GWALLT

Roedd gen i lond y gawod (a'r cwpwrdd o dan y sinc) o boteli siampŵ a chyflyrydd hanner gwag, a bob hyn a hyn ro'n i'n cael fy nhwyllo i feddwl bod angen rhyw siampŵ arbennig arna i i gael cwrls, neu wallt syth, neu i ysgogi tyfiant, ac felly'n gadael un ar ei hanner a phrynu'r siampŵ gwyrthiol newydd. Ond mewn gwirionedd, does dim angen gwario a gwario ar boteli o hylifau hudol yn llawn cemegau. Felly, beth yw'r opsiynau amgen?

1. Y dull 'no-poo'

Does angen fawr ddim ar ein gwallt ni er mwyn iddo'i gadw'i hun yn lân, a'r opsiwn mwyaf diwastraff yw'r dull 'no-poo' sef gadael y gwallt i'w olchi ei hun … ond dyw pawb ddim yn gyfforddus â'r syniad o fynd trwy'r broses hon, sy'n gallu golygu rhai wythnosau o wallt digon seimllyd (a dwi fy hun yn un ohonyn nhw).

2. Ail-lenwi

Mae hwn yn opsiwn gwych os oes siop gyfagos yn cynnig gwasanaeth ail-lenwi – fel arfer mae'r siampŵs yn rhai organig hefyd.

3. Bariau Siampŵ

Mae bariau siampŵ yn cymryd tipyn o arbrofi i ddod i arfer â nhw. Mae ein gwallt ni yn gaeth i gemegau, felly does dim syndod fod bar siampŵ naturiol yn sioc i'r system. Gan nad oes cemegau ynddo mae'n anoddach iddo gael gwared ar y cemegau cynyddol sydd wedi cael eu rhoi ar ein gwallt dros y blynyddoedd, gyda sawl cyflenwr bariau siampŵ yn argymell rinsio'r gwallt â chymysgedd o finegr seidr afal a dŵr bob cwpwl o wythnosau.

Fe es i drwy sawl un gwahanol cyn dod o hyd i un neu ddau sy'n siwtio fy ngwallt i i'r dim. Fel gyda phob math o gynnyrch harddwch ac iechyd, mae'n bwysig arbrofi a gweld beth sy'n gweithio orau i chi.

> *Tip:*
> Mae'r bariau yn opsiwn gwych ar gyfer teithio, yn enwedig os ydych chi'n hedfan.

Siampŵ Sych

Anaml y bydda i'n defnyddio siampŵ sych, ond bob hyn a hyn mae'n dod yn handi – yn enwedig mewn gŵyl gerddorol neu pan does dim amser neu adnoddau call ar gael. Mae nifer o syniadau ar gael ar-lein am sut i greu eich siampŵ sych eich hun, ond yr un gorau dwi wedi'i weld yw powdr talc babis (gydag ychydig o bowdr coco wedi'i ychwanegu ar gyfer gwallt tywyll!). Defnyddiwch frwsh colur i roi peth ar y gwreiddiau, yna'i rwbio i mewn a chribo cyn defnyddio'r sychwr gwallt i chwythu unrhyw ormodedd i ffwrdd.

Llwch Gwallt Dŵr y Môr

Un o fy hoff bethau i greu tonnau yn fy ngwallt yw llwch gwallt dŵr sy'n creu wmff a thonnau hyfryd. Dwi wedi defnyddio lot o rai gwahanol dros y blynyddoedd, ond dwi wedi dod o hyd i'r un perffaith o'r diwedd … a fi wnaeth e fy hun! Os ydych chi'n dueddol o ddefnyddio llwch o'r fath, mae'n werth i chi drio'r rysáit yma, sy'n gwneud digon ar gyfer dwy botel fach 100ml:

Cynhwysion

- 1 cwpan o ddŵr cynnes
- 2 lwy fwrdd o halen Epsom
- 2–3 llwy de o olew cnau coco
- 4–5 dropyn o olew naws (wnes i ddefnyddio olew coed te)
- 1 llwy de o halen môr

Dull

1. Poethwch y dŵr mewn sosban tan ei fod yn dechrau mudferwi.
2. Trowch yr halen Epsom i mewn tan ei fod wedi toddi'n llwyr.
3. Chwisgiwch yr olew cnau coco i mewn gyda'r olew naws, yna ychwanegu'r halen môr.
4. Tywalltwch y gymysgedd i mewn i botel chwistrell wydr a'i hysgwyd yn dda.

Sut i'w ddefnyddio

Ar ôl golchi'ch gwallt, chwistrellwch y llwch dŵr drosto tra'i fod yn dal yn wlyb. Defnyddiwch eich dwylo i sgrynsio'ch gwallt a gwella'i ansawdd cyn gadael iddo sychu'n naturiol i gael y canlyniadau gorau (doeddwn i byth yn arfer gwneud hyn, ond dyw fy ngwallt ddim wedi cael gwres ers dros wythnos ac mae'n gwneud byd o wahaniaeth).

EILLIO

Y rasel blastig dafladwy yw'r math mwyaf poblogaidd yn y Deyrnas Unedig, ac mae miliynau ohonyn nhw'n cael eu taflu bob blwyddyn. Maen nhw wedi'u creu o blastig, yn cynnwys gwarchodydd bach plastig ac yn dod mewn pecyn plastig hefyd – yn bendant, un o'r troseddwyr gwaethaf o ran plastig diangen.

Wrth drio lleihau'r gwastraff wrth eillio, mi wela i fod pedwar opsiwn ar gael i ni:

1. Cael gwared ar bob blewyn trwy driniaeth laser (sy'n gallu bod yn gostus)
2. Cwyro, neu wacsio (eto, braidd yn ddrud i'w wneud bob tro)
3. Mynd *au naturel* (grêt os ydych chi'n gallu, ond dyw pawb ddim yn gyfforddus â hyn)
4. Defnyddio rasel ddiblastig

Os ydych chi am fynd am opsiwn rhif pedwar a theithio'n ôl mewn amser a dechrau eillio fel petai hi'n 1880, dyma air neu ddau o brofiad a chyngor.

Ydy, mae defnyddio rasel ddiogelwch am y tro cyntaf yn gallu bod yn ddychrynllyd … maen nhw mor *mor* finiog! Roeddwn i'n dychmygu fy hun yn torri rhyw wythïen hollbwysig a gwaedu i farwolaeth ar lawr yr ystafell ymolchi … i gyd yn enw byw yn wyrddach! Ond gyda lot o ymchwil, dyma fi'n mynd amdani.

Wel, roedd y cynnig cyntaf yn erchyll – roedd fy nghoesau i'n frith o gytiau bach gwaedlyd a ches i gymaint o ofn gwneud gwir niwed i mi fy hun, wnes i ddim mentro mynd yn agos at fy mhigyrnau na 'mhengliniau, heb sôn am fy ngheseiliau! Erbyn yr ail dro, roeddwn i wedi gwylio mwy o fideos a darllen mwy o flogiau am gyngor ac roedd y canlyniad yn llawer gwell. Ydy, mae'n cymryd mwy o amser nag arfer y troeon cyntaf hynny, ond erbyn hyn, mae defnyddio'r rasel yn hollol ddiymdrech … coesau *a* cheseiliau.

Os ydych chi am fynd amdani hefyd, dyma rai o'r tips pwysicaf ar gyfer eillio â rasel ddiogelwch:

- Prynwch rasel dda; peidiwch â mynd am yr opsiwn rhad.
- Maen nhw'n ddiogel, ond mae angen eu parchu nhw! Maen nhw'n fwy miniog na raseli tafladwy, felly mae angen cymryd mwy o ofal.
- Ffeindiwch ongl sy'n gweithio – eto, mae'n wahanol i rasel blastig sy'n fflat iawn yn erbyn y croen – mae angen ongl o ryw 20–30 gradd er mwyn cael yr eilliad gorau.
- Mae'n bendant yn werth defnyddio brwsh eillio a sebon eillio call er mwyn cael ewyn trwchus.
- Peidiwch â rhoi pwysau ar y rasel – mae pwysau'r rasel ei hun yn ddigon.
- Cymerwch eich amser. Cofiwch lanhau tu mewn i'r rasel ar ôl pob eilliad i wneud i'r llafn bara'n hirach.

Mae cyfnewid raseli plastig am un ailddefnyddiadwy yn gam gwych i'w gymryd yn yr ystafell ymolchi, nid yn unig am eich bod chi'n ffarwelio â thipyn o blastig, ond am eich bod chi'n cael gwell eilliad – dwi ddim yn gorfod eillio hanner mor aml ag roeddwn i'n arfer ei wneud. Ar ben hyn i gyd, mae'n arbed arian yn y pen draw hefyd. Bydd rasel ddiogelwch dda yn costio rhyw £25, ac mae'r llafnau'n rhyw £2 am 10, a'r rheini'n para sbel os ydych chi'n gofalu amdanyn nhw.

Mae cael gwared â'r llafnau'n gallu bod yn anodd – maen nhw'n ailgylchadwy, ond dydy nifer o gynghorau sir ddim yn fodlon eu derbyn nhw oherwydd os ydyn nhw'n rhydd, maen nhw'n beryglus i'r bobl sy'n trin a thrafod y bagiau ailgylchu. Felly beth dwi wedi dechrau ei wneud yw cadw'r hen rai mewn tun, ac yna unwaith y bydd hwnnw'n llawn, ei selio'n llwyr a mynd ag e i rywle sy'n derbyn metel sgrap.

Ac os ydych chi'n ddyn yn darllen hwn, mae'n werth i chi ddarllen ymlaen! Mae fy ngŵr i, Gruffydd, hefyd wedi dechrau defnyddio rasel ddiogelwch i eillio, a dyma beth sydd gydag ef i'w ddweud: "Dyma offeryn cynnil sy'n mynnu pwyll yn y bore – nid yw'n declyn addas ar gyfer y gŵr modern sy'n mynnu siafo ar frys. Yn hytrach, mae'r rasel fetel yn arf coeth ar gyfer yr eilliwr bonheddig, gyda digon o awch i godi brychau'r haul." (Mae'n ffansïo'i hun yn dipyn o fardd!)

DIAROGLYDD

Mae dod o hyd i ddiaroglydd diwastraff yn parhau i fod yn dasg anodd iawn … mewn gwirionedd dwi'n dal i fynd yn ôl at y potyn plastig bob hyn a hyn, oherwydd ar ôl sbel fach dyw'r opsiynau amgen jest ddim yn gweithio i fi. Ond dwi'n dal i arbrofi, ac fel gyda nifer o bethau yn y bennod hon, bydd angen i chithau arbrofi hefyd i weld beth sy'n siwtio. Dyma ambell syniad i gychwyn arni …

Soda Pobi

Yr opsiwn symlaf a rhataf yw defnyddio soda pobi. Ychwanegwch ddropyn neu ddau o olew naws i botyn bach o soda pobi a defnyddio brwsh bach neu belen gotwm i'w roi ar y croen.

Olew Cneuen Goco

Rhowch damaid bach, bach o'r olew ar eich bys a'i rwbio o gwmpas eich ceseiliau. Yn ôl pob tebyg mae'r asid sydd ynddo'n lladd bacteria, a dydy'r olew ddim yn staenio dillad.

Crisial

Mae alwm potasiwm naturiol yn lladd bacteria sy'n creu aroglau, ac mae modd ei brynu fel crisial sy'n dod yn ddiblastig.

Pecynnu diblastig

Mae gwahanol fathau o ddiaroglyddion yn dod mewn poteli gwydr y mae'n bosib eu hail-lenwi, neu fel bariau soled mewn cardfwrdd neu bapur.

DANNEDD

Brwshys

Rydyn ni'n defnyddio tipyn o blastig wrth lanhau'n dannedd; ydych chi erioed wedi meddwl i ble mae'r holl frwshys dannedd plastig yn mynd wedi i ni orffen â nhw? Yn amlach na pheidio maen nhw'n gorffen eu bywydau bach byrion (ry'n ni'n cael ein hannog i'w taflu bob 3–4 mis) mewn tomen sbwriel, ac unwaith maen nhw'n cyrraedd y fan honno dydyn nhw ddim yn torri i lawr a phydru am amser hir iawn, ac maen nhw'n aml yn cyrraedd ein hafonydd a'n cefnforoedd yn y cyfamser. Felly, un o'r pethau cyntaf wnes i yn yr ystafell ymolchi oedd cyfnewid ein brwshys dannedd plastig am rai bambŵ, sy'n 100% bydradwy. Mae angen peth gofal wrth daflu'r rhain, oherwydd er bod y goes bambŵ yn bydradwy, dydy'r blew neilon ddim. Felly bydd angen defnyddio gefeiliau i dynnu'r blew o'r brwsh a'u taflu i'r bin ailgylchu, cyn taflu'r goes i'r domen gompost.

Past Dannedd

Nid yw tiwbiau past dannedd yn ailgylchadwy, ond mae opsiynau diblastig i'w cael – tabledi, powdr neu bast naturiol sy'n dod mewn jariau gwydr.

georganics
SPEARMINT

Edau Ddannedd

Mae edau ddannedd gyffredin wedi'i gwneud o neilon ac yn dod mewn cynhwysydd bach plastig. Cyfnewidiwch hon am edau ddannedd naturiol sy'n dod mewn jar fach wydr y gellir ei hail-lenwi.

Ceglyn

Mae'n ddigon hawdd gwneud eich ceglyn eich hun:

1. Rhowch hanner cwpan o ddŵr wedi'i ffiltro, 2 lwy de o soda pobi, 2 ddropyn o olew mintys a 2 ddropyn o olew coed te mewn potel wydr.
2. Ysgwydwch y gymysgedd yn dda.
3. Slochiwch y ceglyn o gwmpas eich ceg a phoeri fel arfer.

PAPUR TŶ BACH

Who gives a crap? Nadw, dwi ddim yn bod yn anweddus – dwi eisiau sôn am y llond cwpwrdd o bapur tŷ bach wedi'i ailgylchu sydd yn fy ystafell ymolchi.

Mae papur tŷ bach Who Gives a Crap ar gael mewn dau opsiwn – papur bambŵ neu bapur wedi'i ailgylchu. Maen nhw'n dod mewn bocs cardfwrdd gyda phob un wedi'i lapio mewn papur – y cyfan oll yn gallu cael ei ailgylchu neu ei roi yn y compost.

Yn ôl eu gwefan, sefydlwyd Who Gives a Crap pan sylweddolodd y sefydlwyr nad oes gan 40% o'r boblogaeth fyd-eang fynediad

at dŷ bach, a bod tua 289,000 o blant dan bum mlwydd oedd yn marw bob blwyddyn o afiechydon sy'n gysylltiedig â safonau dŵr a glanweithdra isel. Mae'r cwmni yn rhoi 50% o'i elw i helpu adeiladu toiledau a gwella glanweithdra mewn gwledydd sy'n datblygu.

Dyma fy mhrofiad i o Who Gives a Crap hyd yma:

- Mae'r cyfan yn hollol ddiblastig.
- Mae ansawdd y papur yn debycach i bapur rhad nag i *Cushelle Quilted*, ond mae'n gwneud y tro – mae'r fersiwn papur bambŵ i fod o ansawdd gwell (ac felly'n ddrutach).

- Maen nhw'n gwneud gwahaniaeth mewn gwledydd sy'n datblygu ac ar ben hynny, maen nhw wedi cynhyrchu digon o ddeunyddiau i achub dros 50,000 o goed, ac i arbed 98 miliwn litr o ddŵr a bron i 6,000 tunnell o allyriadau nwyon tŷ gwydr.
- Yn anffodus, maen nhw'n mewnforio'r papur i Brydain, felly mae ôl troed carbon wrth ei gludo, ond o leiaf mae'n dod ar gwch, yn hytrach nag mewn awyren.

PERSONOL

Cyn i fi ddechrau sôn am faterion mwy personol, dwi'n teimlo bod angen rhyw fath o ymwadiad. Wrth gwrs mai holl bwrpas ysgrifennu'r llyfr hwn yw ceisio annog ac ysbrydoli pob un ohonom i fyw bywyd gwyrddach a thorri i lawr ar wastraff diangen, ond fyddwn i ddim am i neb wneud hynny ar draul bod yn gyfforddus ac yn hapus. Dim ond chi sy'n adnabod eich corff eich hun, felly dylai pob un ohonom ni fel unigolion wneud beth sy'n ein siwtio ni a'n cyrff.

Ar gyfartaledd bydd menyw yn taflu 11,000 o dampons neu badiau mislif yn ystod ei bywyd. Er bod yr elfen gotwm ynddyn nhw'n pydru yn y pen draw, maen nhw'n dod mewn *lot* o blastig ac yn cynnwys plastig hefyd. Ar gyfartaledd mae un pad yn defnyddio'r un faint o blastig â phedwar bag plastig! Ar wahân i'r plastig maen nhw'n cynnwys lot fawr o gemegau a phersawrau, gyda rhai yn dadlau fod y rhain yn gwneud poenau misol yn waeth. Felly, os ydych chi'n teimlo fel chwilio am opsiwn arall, mae digonedd ar gael.

Cwpan Mislif

Cwpan silicon o safon feddygol sy'n cael ei fewnosod yn y wain i gasglu gwaed. Mae angen gwagu'r cwpan yn ystod y dydd a'i lanhau – bob rhyw 4–8 awr. Dylid eu sterileiddio rhwng pob mislif mewn dŵr berwedig. Maen nhw'n costio o gwmpas £20, mae dau faint gwahanol ar gael ac maen nhw'n para am ryw 10 mlynedd.

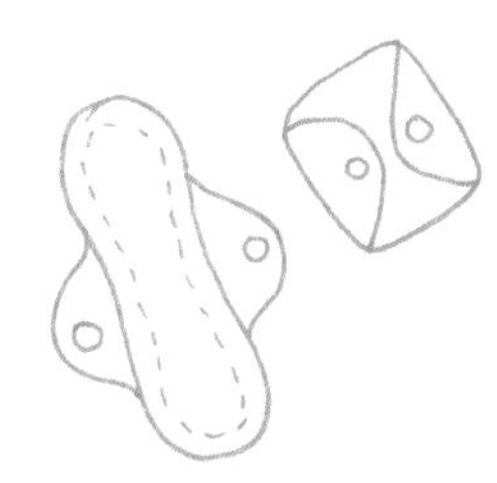

Padiau Mislif Cotwm

Padiau cotwm sy'n ffitio yn y dillad isaf fel padiau tafladwy, fel arfer gyda botymau bach. Mae'r rhain yn gweithio'n union fel padiau tafladwy, ond yn hytrach na'u taflu i'r bin, y cyfan sydd angen ei wneud yw eu taflu i'r peiriant golchi. Mae'n syniad da mynd â bag bach gwrth-ddŵr gyda chi yn ystod y dydd i'w cadw cyn mynd â nhw adref i'w golchi. Maen nhw'n eithaf drud, ond mae modd eu hailddefnyddio dro ar ôl tro ar ôl tro. Os ydych chi'n handi â'r peiriant gwnïo, mae modd gwneud y rhain eich hunan yn ddigon hawdd.

Dillad Isaf Mislifol

Dillad isaf amsugnol sy'n amsugno'r gwaed. Maen nhw'n wrthfacterol, dydyn nhw ddim yn gollwng, ac maen nhw i'w cael mewn pob math o steiliau gwahanol. Gall y rhain gael eu gwisgo drwy'r dydd a'u newid yn y nos, yna'r cyfan sydd angen ei wneud yw eu rinsio â dŵr oer, a'u rhoi mewn bag rhwyllog yn yr olch. Eto, mae'r rhain yn ddrud – yn enwedig o ystyried y bydd angen prynu sawl pâr – ond yn ailddefnyddiadwy.

Tampons Cotwm Organig

Os ydych chi am gael rhywbeth sy'n fwy cyfarwydd, mae modd prynu tampons cotwm organig. Yn wahanol i dampons cyffredin, nid yw'r rhain yn cynnwys plaladdwyr, lliwiau, clorin na reion. Maen nhw hefyd yn hypoalergenaidd ac yn bydradwy.

Mae modd hefyd i chi brynu dodwr tampon ailddefnyddiadwy, yn ogystal â phrofion beichiogrwydd sydd wedi'u gwneud o bapur ac sy'n hollol bydradwy.

MODDION

Os ydych chi'n debyg i fi, fe fyddwch chi'n estyn am y pecyn o boenladdwyr yn syth pan fydd gennych chi gur pen, neu boen bol. Mae'n holl dabledi yn dod mewn pecynnau bach plastig sy'n cael eu galw'n baciau pothellog. Mae'r bocsys cardfwrdd sy'n dal y paciau pothellog yn ailgylchadwy, ond dydy'r paciau eu hunain ddim.

Beth am eu prynu mewn swp, neu'n well fyth, geisio delio â'n poenau dyddiol cyffredin mewn modd mwy naturiol? Fel gyda lot o awgrymiadau eraill yn y llyfr hwn, dyw popeth ddim yn gweithio i bawb, a dydw i'n bendant ddim yn feddyg! Y cyfan dwi am ei wneud yn y fan hyn yw rhannu ambell dric sy'n gweithio i fi'n bersonol.

Pen tost – rhwbiwch ddropyn bach o olew pupur-fintys ar eich arleisiau a'ch talcen (cymerwch ofal o gwmpas eich llygaid!)

Annwyd – yfwch ddigonedd o ddŵr … a bwytewch frechdan garlleg

Trwyn llawn – anadlwch stêm i mewn o ddysgl o ddŵr poeth (nid dŵr berw). Mae ychwanegu tamaid o olew naws ewcalyptws hefyd yn help

Peswch – cawod boeth, a chymryd 2 lwy de o fêl ryw hanner awr cyn cysgu

Poenau mislifol – potel ddŵr poeth

Cefn tost – clytiau gwasgu poeth neu oer

FFASIWN

Dwi'n dwli siopa – siopa dillad yn enwedig. Dwi'n dwli ar ddillad … a sgidiau … a bagiau … unrhyw beth alla i ei wisgo neu ei gario gyda fi a dweud y gwir! Dyma pam mai stopio gwario ar ddillad rhad, tafladwy yw un o'r camau gwyrddach anoddaf i fi'n bersonol.

Dros y blynyddoedd diwethaf mae prisiau dillad wedi gostwng yn sylweddol, sy'n golygu ein bod ni'n gallu prynu mwy a mwy ohonyn nhw. Dwi a fy nghwpwrdd dillad gorlawn yn bendant wedi bod yn cymryd mantais o hyn! Mae ein harferion siopa dillad wedi rhoi straen ofnadwy ar y blaned dros y blynyddoedd, ac mae'r problemau sydd ynghlwm â sut mae dillad yn cael eu cynhyrchu, eu prynu, eu trin a'u taflu yn go ddifrifol. Fel mae fy ffrind i Heledd yn ei ddweud, "Mae ffasiwn ar hast yn ffasiwn sy'n wast!"

Ar hyn o bryd, rydyn ni'n cynhyrchu tua 80 biliwn o ddillad newydd bob blwyddyn, a'r diwydiant ffasiwn yw'r ail lygrwr mwyaf ar ôl y diwydiant olew. Mae prosesau cynhyrchu dillad yn defnyddio gormod o ddŵr ac yn ei lygru, yn cynhyrchu gormod o wastraff ac allyriadau carbon ac yn dinistrio llynnoedd, coedwigoedd a'r tir. Ond nid yr amgylchedd yn unig mae'r diwydiant yma'n effeithio arno, ond hefyd y bobl sy'n creu ein dillad.

Y broblem yw bod y diwydiant ffasiwn yn gwneud arian yn seiliedig ar werthu mwy o gynnyrch, ac felly'n cynnig casgliadau newydd drwy'r amser. Ddeng mlynedd yn ôl byddai brandiau ffasiwn yn creu dau gasgliad newydd bob blwyddyn, un gwanwn/haf ac un hydref/gaeaf. Erbyn hyn, mae 52 casgliad newydd yn ymddangos yn ein siopau bob blwyddyn – mae rhywbeth newydd i ni ei brynu bob wythnos.

Rydyn ni'n prynu 400% yn fwy o ddillad nag roedden ni ryw ddeng mlynedd yn ôl, ac ar gyfartaledd dim ond rhyw bum gwaith y byddwn ni'n gwisgo dilledyn cyn ei daflu. Rydyn ni erbyn hyn yn credu ei bod hi'n haws, ac yn rhatach, prynu dillad newydd na thrwsio rhywbeth sydd gyda ni'n barod. Yn syml, mae dilledyn wedi dod yn rhywbeth tafladwy, sy'n debycach i fag plastig nag eitem werthfawr.

Mae angen i ni fel cwsmeriaid newid y ffordd rydyn ni'n ystyried ac yn trin dillad, ond mae dyletswydd hefyd ar gynhyrchwyr i newid y ffordd maen nhw'n creu ac yn gwerthu dillad. Un peth allwn ni i gyd ei wneud yw defnyddio'n llais a rhoi gwybod i'n hoff frandiau ffasiwn ein bod ni am iddyn nhw newid eu ffyrdd.

Dyma rai ffeithiau am y diwydiant ffasiwn:

- Mae 80 biliwn o ddillad yn cael eu cynhyrchu bob blwyddyn
- Mae angen 1kg o gemegau i greu 1kg o decstilau
- Mae 11 o'r cemegau sy'n gyffredin yn y broses creu tecstilau yn beryglus
- Mae 20% o lygredd dŵr diwydiannol yn cael ei greu wrth drin a lliwio tecstilau
- Mae 200,000 o dunelli o liwiau (*dyes*) yn cael eu colli i garthffrwd bob blwyddyn
- Mae 1.3 triliwn litr o ddŵr yn cael ei ddefnyddio gan y diwydiant ffasiwn bob blwyddyn
- Er mwyn lliwio 1 dunnell o ddefnydd mae angen 200 tunnell o ddŵr ffres
- Mae 190,000 o dunelli o ffibrau plastig mân yn cyrraedd ein moroedd bob blwyddyn
- Dim ond 15% o'n dillad sy'n cael eu hailgylchu neu eu pasio ymlaen

- Tecstilau yw 5.2% o wastraff ein tomenni sbwriel
- Am bob 1kg o ddefnydd sy'n cael ei gynhyrchu, mae 23kg o nwyon tŷ gwydr yn cael eu creu
- Mae 400% yn fwy o allyriadau carbon yn cael eu creu os ydyn ni'n gwisgo dilledyn 5 gwaith yn hytrach na 50 gwaith
- Mae 70 miliwn o goed yn cael eu torri bob blwyddyn er mwyn gwneud ein dillad

Y peth gorau allwn ni i gyd ei wneud i drin ein dillad yn fwy gwyrddach a thorri i lawr ar wastraff, heb os nac oni bai, yw stopio prynu dillad. Ond dyw hynny ddim wastad yn beth hawdd i'w wneud. Felly, os ydyn ni angen cael dilledyn newydd, dyma rai syniadau am sut i wneud hynny'n ddoeth.

AILFFURFIO AC UWCHGYLCHU

Cyn mynd allan i brynu eitem newydd, mae'n werth edrych ar beth sydd gyda ni'n barod a all gael ei addasu mewn rhyw ffordd i ailwampio'r cwpwrdd dillad. Weithiau, gydag ychydig o waith llaw trwy ychwanegu addurniad neu glwt lliwgar, cyfnewid botymau, brodio patrwm diddorol neu droi pâr o jîns yn bâr o drowsus byr, fe allwn ni greu rhywbeth sy'n teimlo'n newydd.

VINTAGE AC AIL-LAW

Prynu dillad *vintage* ac ail-law yw un o'r ffyrdd mwyaf cynaliadwy o siopa, wrth roi ail fywyd i ddillad a fyddai fel arall yn cyrraedd y domen sbwriel. Yn aml iawn bydd y math yma o ddillad yn rhatach hefyd, ac yn hollol unigryw. Syniad da arall yw cyfnewid dillad gyda ffrindiau sydd yr un maint â chi er mwyn ailwampio'ch wardrob bob hyn a hyn.

Mae'n syndod beth allwch chi ddod o hyd iddo mewn siopau elusen bach lleol, yn enwedig os ydych chi mewn trefi a phentrefi ychydig yn fwy posh! Lle da arall i ddod o hyd i ddarnau diddorol yw mewn digwyddiadau kilo, lle rydych chi'n talu yn ôl pwysau'r dillad. Dwi wrth fy modd yn twrio drwy siopau ail-law i chwilio am fargen, ac mae darganfod dilledyn unigryw o safon yn deimlad llawer iawn gwell na phrynu llond troli o ddillad newydd, rhad.

Yn ogystal â siopau *vintage* a siopau elusen, mae'n hawdd iawn dod o hyd i ddillad ail-law ar y we hefyd, drwy wefannau fel eBay a Depop.

DILLAD O SAFON

Os ydych chi'n benderfynol o brynu dilledyn newydd sbon, gwnewch yn siŵr eich bod yn prynu dilledyn o safon a fydd yn para am flynyddoedd, ac y cewch chi lot o ddefnydd ohono. Ydy, mae hyn yn gallu bod yn ddrud, ond does bosib fod talu mwy am bâr o jîns fydd yn para am flynyddoedd a blynyddoedd yn well i'r amgylchedd ac i'ch poced na dal i brynu parau rhad sy'n mynd yn ddim yn fuan iawn.

Chwiliwch am wneuthurwyr sy'n creu dillad yn y wlad hon, ac sy'n gwneud eu gorau i ddefnyddio deunyddiau a phrosesau sy'n fwy cyfeillgar i'r amgylchedd. Mae hyn yn gofyn am dipyn o waith ymchwil, ond mae'n bendant yn werth yr ymdrech. Er bod agweddau ar gynhyrchu defnyddiau naturiol yn sicr yn well i'r amgylchedd (mae cywarch a llin yn blanhigion sy'n gynaliadwy ac yn bydradwy), dydyn nhw ddim yn berffaith o bell ffordd – er enghraifft, bydd cotwm organig yn dal i ddefnyddio lot o ddŵr i'w gynhyrchu. Chwiliwch am frandiau sy'n defnyddio tecstilau sy'n ardystiedig gan GOTS (safon tecstilau organig fyd-eang), sy'n golygu fod y gwneuthurwyr yn defnyddio planhigion sydd wedi'u tyfu'n organig, yn defnyddio llai o ynni a dŵr, yn creu llai o allyriadau nwyon tŷ gwydr, yn trin eu gweithwyr yn deg a bod eu dulliau cynhyrchu yn ecolegol a chymdeithasol gyfrifol.

GOFALU AM EICH DILLAD

Unwaith y byddwn ni wedi mynd â dilledyn adref o'r siop, mae'n hollbwysig gofalu amdano. Mewn cymdeithas lle mae'n haws taflu dilledyn na'i drwsio, rydyn ni wedi colli llawer o sgiliau a gwybodaeth gyffredinol am sut i ofalu am ddillad yn gywir.

Wrth gael eu golchi, mae dillad polyester (y defnydd mwyaf poblogaidd ym myd ffasiwn, gyda llaw) yn gollwng rhyw 700,000 o fân ffibrau i'r system ddŵr. Mae'r rhain yn cyrraedd ein moroedd, yn cael eu llyncu gan bysgod, ac yna'n cyrraedd ein cyrff ni wrth i ni fwyta'r pysgod hynny. Wrth wisgo a golchi dillad polyester rydyn ni'n bwydo plastig i ni'n hunain … ac mae hynny'n beth boncyrs i'w wneud.

Dydy golchi dillad ddim yn helpu hirhoedledd y dillad chwaith, felly golchwch eich dillad ddim ond pan fydd gwir angen – hynny yw, pan fyddan nhw'n frwnt. Wrth olchi, llenwch y peiriant a golchwch ar dymheredd o 30°C. Gallwch hefyd fuddsoddi mewn bag bach a fydd yn amddiffyn dillad synthetig rhag gollwng mân ffibrau i'r amgylchedd.

TRWSIO

Wrth weld twll mewn rhyw hosan neu fotwm ar goll ar siaced mae hi'n syndod faint ohonom ni sy'n taflu'r dilledyn hwnnw i'r neilltu ac anghofio amdano, neu'n mynd allan i'r siop a phrynu un arall. Mam-gu oedd bob amser yn trwsio fy nillad i – rhoi patshyn ar bâr o jîns neu gyweirio twll mewn siwmper wlân. Yn ddiweddar, dwi wedi gorfod dysgu sut i drwsio fy nillad fy hun, ac er syndod imi, dyw hi ddim mor anodd ag roeddwn i wedi dychmygu!

Mae trwsio'n dillad nid yn unig yn arbed arian, ond yn ein dysgu ni i roi mwy o werth ar ddillad sydd wedi cymryd adnoddau sylweddol i'w creu. Oeddech chi'n gwybod fod gwnïo â llaw wedi'i gysylltu â rhyddhau serotonin yn yr ymennydd, ac felly'n gwneud i ni deimlo'n dda hefyd!

Gwnïo Botwm

Dwy funud fydd hi'n ei gymryd i chi wnïo botwm, ac mae'r rhan fwyaf o'r offer sydd eu hangen i wneud y job gyda'r rhan fwyaf ohonom ni o gwmpas y tŷ yn barod.

Deunyddiau

- Nodwydd
- Edau
- Botwm (fel arfer bydd un sbâr yn dod gyda'r dilledyn; fel arall ceisiwch ddod o hyd i un tebyg, neu mynegwch eich hun trwy ddefnyddio botwm hollol wahanol)
- Pìn hir neu fatsien
- Siswrn

Dull

1. Tynnwch yr edau drwy lygad y nodwydd nes bod yr un faint o edau ar y ddwy ochr, a chlymwch y ddau ben at ei gilydd.
2. Gosodwch y botwm ar y dilledyn a chofiwch wneud yn siŵr ei fod yn y man cywir i fynd drwy dwll y botwm.
3. Gwthiwch y nodwydd i fyny drwy'r defnydd a thrwy un o'r tyllau yn y botwm gan dynnu'r edau allan yr holl ffordd.
4. Rhowch y pìn neu'r fatsien oddi tano er mwyn sicrhau nad yw'r botwm yn cael ei wnïo'n rhy dynn.
5. Ewch yn ôl drwy'r twll arall ac ailadrodd hyn nes bod y botwm yn sownd yn ei le.
6. Ar y pwyth olaf, gwasgwch y nodwydd drwy'r defnydd, ond nid drwy'r botwm, a lapiwch yr edau o gwmpas yr edau sydd rhwng y defnydd a'r botwm ryw 6 gwaith. Gwthiwch y nodwydd yn ôl drwy'r defnydd a gwneud 3 neu 4 pwyth i ddiogelu'r edau cyn ei glymu a'i dorri.

Cyweirio Hosan

Trwsio syml yw'r hyn dwi'n sôn amdano fan hyn, nid yr un math o gyweirio perffaith ag roedd Mam-gu'n arfer ei wneud. Ond mae'r dechneg hon yn sicrhau nad oes twll yn yr hosan mwyach na chwaith lwmp mawr lletchwith o edau.

Deunyddiau

- Edau neu wlân (yn dibynnu ar drwch eich hosan)
- Nodwydd
- Madarchen bren, pêl dennis neu unrhyw eitem gron arall

Dull

1. Rhowch yr edau neu'r gwlân drwy lygad y nodwydd a chlymu cwlwm bach ar y pen. Yna rhowch y fadarchen neu'r bêl yn yr hosan.
2. Torrwch unrhyw ymylon carpiog o gwmpas y twll.
3. Dechreuwch o'r tu mewn i'r twll fel bod y cwlwm ar y tu mewn, ac ar waelod ochr chwith y twll. Byddwn i'n argymell dechrau rhyw 1cm o'r twll er mwyn cryfhau'r ardal denau o'i gwmpas.
4. Gwnewch un pwyth hir o waelod y twll i'r top, yna un arall i'r dde o'r top i'r gwaelod – ailadroddwch y patrwm nes bod y twll wedi'i orchuddio â phwythau hir.
5. Unwaith y byddwch chi wedi gorchuddio'r twll, ewch â'ch nodwydd a gwehyddu'ch ffordd o un ochr i'r llall, o waelod y twll i'r top, i greu patrwm cris croes.
6. Gwthiwch y nodwydd yn ôl drwy'r defnydd a gwneud 3 neu 4 pwyth i ddiogelu'r edau cyn ei glymu a'i dorri.

Tip: Ceisiwch drwsio'r hosan pan fo'r twll yn dal i fod yn fach. Mae ceisio trwsio twll mawr yn ofnadwy o anodd!

Trwsio Amlwg

Dwi'n hoff iawn o drwsio dillad mewn modd amlwg – peidio â chuddio'r twll neu'r rhwyg, ond yn hytrach eu gwneud yn nodwedd unigryw. Un ffordd wych o wneud hyn yw trwy ddefnyddio'r traddodiad Japaneaidd *boro*. Daw'r term o'r gair Japaneaidd *boroboro* sy'n golygu 'rhywbeth carpiog neu wedi'i drwsio'. Gan ddefnyddio pwythau *sashiko*, y bwriad yw trwsio ac atgyfnerthu dilledyn mewn ffordd brydferth. Mae llyfrau a'r we yn llawn syniadau a thiwtorialau o bob math, felly ewch ati i arbrofi – sylfaenol iawn yw fy sgiliau gwnïo i, ond dwi wedi llwyddo i drwsio sawl pâr o jîns a siaced ddenim, ac wedi cael lot o foddhad wrth wneud hefyd.

GWAREDU

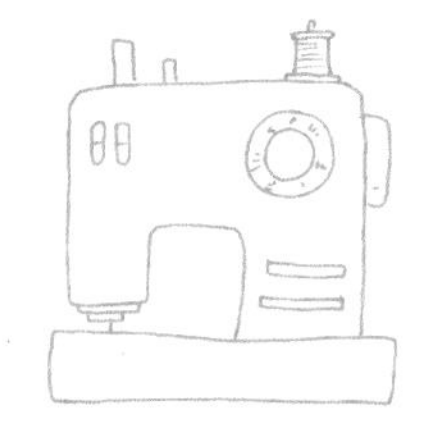

Pan fo dilledyn wedi cyrraedd diwedd ei oes, neu os nad ydych chi'n gweld eich hun yn ei wisgo eto, mae'n bwysig ei waredu mewn modd cyfrifol. Mae mwy na miliwn o dunelli o ddillad yn cyrraedd y domen sbwriel bob blwyddyn, sydd werth rhyw £140 miliwn, ac mae 60% o'n dillad yn cyrraedd yno cyn iddyn nhw fod yn ein cypyrddau dillad am flwyddyn.

Rhowch unrhyw ddillad sydd mewn cyflwr da i ffrind neu aelod o'r teulu, neu i'r siop elusen leol, fel eu bod yn cael ail fywyd yn wardrob rhywun arall. O ran yr eitemau hynny sy'n rhy ddi-raen i'w gwisgo, ewch â nhw i fanciau ailgylchu – mae'r rhain o gwmpas y lle ym mhobman, ac mae modd chwilio am yr un agosaf atoch chi ar-lein. Neu beth am fod yn greadigol? Fe stwffiais i hen sanau bach unig a dillad isaf i mewn i hen bâr o deits a chreu rhimyn drafft effeithiol iawn!

DATHLU

Mae cyfnodau o ddathlu, fel partïon pen-blwydd a'r Nadolig, yn gallu bod yn gyfnodau digon gwyllt gyda lot o wahanol bethau i'w trefnu a'u gwneud. Yn ystod cyfnodau fel hyn mae'n bosib i ni fod dan gymaint o straen nes ceisio dod o hyd i bob math o ffyrdd rhad, cyflym a hawdd o wneud pethau, sy'n aml yn arwain at wariant a gwastraff hollol ddiangen. Gydag ychydig o bwyll a chynllunio call, gallwn ddathlu mewn ffordd wyrddach, lai gwastraffus.

PARTI GWYRDD

Mae pawb yn joio parti, ond mae partïon yn gallu bod yn ofnadwy am gasglu gwastraff ynghyd, a lot o hwnnw'n wastraff plastig hollol ddiangen. Y tro nesaf y byddwch chi'n trefnu parti – boed yn barti plant, yn barti priodas neu'n ddigwyddiad – cymerwch olwg ar y syniadau isod a all fod yn help i fwynhau parti llai gwastraffus.

Gwahoddiadau

Yn hytrach nag anfon gwahoddiadau papur, sy'n mynd yn syth i'r bin, beth am anfon un yn electronig? Anfonwch e-bost neu neges destun syml, neu dyluniwch e-wahoddiad deniadol.

Y Bwrdd Bwyd

Ydyn, mae llestri a chytleri tafladwy yn handi; jest taflu'r cyfan i'r bin heb orfod poeni am olchi llestri. Mewn parti ar gyfer oedolion, dylai defnyddio llestri pob dydd fod yn ddiogel, ond ar gyfer parti plant, beth am chwilota drwy'r siopau elusen lleol a chreu set o 'lestri parti' rhad sy'n cael eu defnyddio flwyddyn ar ôl blwyddyn? Er efallai y bydd hanner awr o olchi llestri ar ddiwedd y parti, bydd yr amgylchedd yn falch o'ch aberth! Neu os ydych chi eisiau llwyr osgoi unrhyw doriadau, dewiswch lestri a chytleri pydradwy.

Mae'r un peth yn wir am yr hen lieiniau bwrdd plastig yna sy'n cael eu taflu'n syth i'r bin – beth am brynu lliain bwrdd o siop elusen, neu oelcloth pert y mae modd ei sychu'n lân a'i ddefnyddio dro ar ôl tro?

Bwyd a Diod

Fel sy'n wir am baratoi bwyd o ddydd i ddydd, mae paratoi'r bwyd ar gyfer y parti yn ddiblastig yn gallu bod bron yn amhosib. Ond mae modd torri i lawr ar wastraff. Yn hytrach na phrynu llond troli o fwyd parti mewn pecynnau plastig, beth am greu pethau eich hunain, neu o leiaf brynu ambell beth mewn swp i leihau faint o ddeunydd pecynnu sy'n cael ei daflu.

O ran diod, ceisiwch osgoi'r holl boteli plastig o bop a mynd am boteli gwydr, neu ganiau y mae modd eu hailgylchu.

Bagiau Parti

Does gen i ddim plant, ond wrth siarad ag ambell ffrind ac aelod o'r teulu, mae'n ymddangos bod bag parti yn hollbwysig mewn parti plant! Mae gen i gof i mi dderbyn rhai fy hun pan oeddwn i'n groten fach – bagiau bach plastig yn llawn trugareddau plastig da-i-ddim oedd yn cyrraedd y bin yn fuan iawn ar ôl cyrraedd adref … roedd gen i fwy o ddiddordeb yn y darn o gacen, yn bendant. Mae rhoi llyfr, llyfr lliwio bach â phensiliau lliw, neu becyn bach o hadau i'w plannu mewn bag papur yn syniad gwych, heb anghofio'r sleisen o gacen wrth gwrs!

Neu beth am greu twba lwcus? Llenwch dwba neu fin mawr â gwahanol anrhegion i'r plant gael dewis ohono ar hap – mae hyn yn torri i lawr ar unrhyw fagiau tafladwy.

Byddwch yn greadigol – fe wnaeth fy ffrind i, Jaimie, drefnu parti dawnsio i'w merch fach ac yn hytrach na bag o drugareddau plastig, fe gafodd pob plentyn bâr o sanau a sticer 'I danced my socks off' – syniad gwych a defnyddiol!

Addurniadau

Mae hi mor hawdd mynd i'r siop a phrynu llond bag o addurniadau plastig, rhad ar unrhyw thema … ond mae'r rhain fel arfer yn cyrraedd y bin yn syth ar ôl y parti. Mae gwneud rhai eich hun yn lot o hwyl ac yn llai gwastraffus – dwi wastad wedi bod yn berson eithaf crefftus, felly dwi wrth fy modd yn creu baneri, bynting, pom-poms papur a choronblethau o bob math. Mae digon o syniadau ar-lein i'ch cadw'n brysur am ddyddiau!

Os nad oes gennych chi ddiddordeb mewn crefftau, beth am brynu set o addurniadau papur cyffredinol y mae modd eu defnyddio dro ar ôl tro? Mae hefyd yn bosib prynu balŵns pydradwy o bob math (ond cofiwch eu byrstio a'u lapio cyn eu taflu er mwyn lleihau'r siawns y byddan nhw'n dianc i'r amgylchedd).

A chofiwch hefyd ddefnyddio'r hyn sydd gyda chi o gwmpas y tŷ yn barod – goleuadau tylwyth teg, jariau gwydr, canhwyllau, teganau ayyb.

ANRHEGION

Dwi wrth fy modd yn prynu anrhegion i deulu a ffrindiau ... dyma'r obsesiwn 'ma â siopa yn codi'i ben eto! Yn ddiweddar, dwi wedi bod yn rhoi lot mwy o feddwl i'r anrhegion dwi'n eu rhoi, ac yn ceisio gwneud yn siŵr eu bod nhw mor ddiwastraff â phosib. Dyma rai syniadau ar gyfer anrhegion hyfryd, diwastraff:

Profiad – dwi'n dwli derbyn taleb ar gyfer bwyty neu noson i ffwrdd yn rhywle, tocyn i gìg neu i'r sinema, neu gyfle i gael tyliniad neu i fynd ar gwrs crochenwaith, fforio, gwnïo, neu rywbeth tebyg. Mae pethau fel hyn yn drît go iawn!

Anrheg Ddigidol – os oes gennych chi ffrind neu aelod o'r teulu sy'n sownd i'w teclynnau digidol neu'n byw yn eu clustffonau, mae talebau ar gyfer e-lyfrau, cerddoriaeth a gwasanaethau ffrydio yn syniad gwych.

Gwneud Rhywbeth â Llaw – os ydych chi'n greadigol, mae modd gwneud rhywbeth i siwtio pawb. Jar o fisgedi blasus neu halwynau ymolchi moethus, darn o gelf neu fom hadau ar gyfer yr ardd – mae'r opsiynau'n ddiddiwedd.

Elusen – anrheg berffaith ar gyfer yr un sydd â phopeth yn barod yw anrheg elusennol fel gefeillio tŷ bach, mabwysiadu anifail mewn perygl, neu becyn tlodi mislif.

Gwyrddach – lledaenwch y neges a helpwch ffrind neu aelod o'r teulu i ddechrau ar eu taith at fywyd gwyrddach drwy roi cwpan coffi bambŵ, potel ddŵr ailddefnyddiadwy, set o orchuddion bwyd cwyr gwenyn cartref neu hyd yn oed rasel ddiogelwch.

Os ydych chi am brynu rhywbeth newydd sbon, ceisiwch gefnogi cwmni bach lleol, neu gwmni sydd ag arferion cynaliadwy ac sy'n defnyddio cyn lleied o ddeunydd pecynnu â phosib.

Lapio Anrhegion

Wrth lapio anrhegion, rydyn ni yn y Deyrnas Unedig yn ofnadwy am greu gwastraff – rydyn ni'n anfon 5 miliwn o dunelli ohono i'r domen sbwriel bob blwyddyn. Mae papur lapio cyffredin wedi'i greu i gael ei ddefnyddio unwaith yn unig, ac mae'n gallu bod yn anodd iawn i'w ailgylchu oherwydd ychwanegion dibapur fel gliter a phlastigau, heb sôn am y tâp selo sy'n dal ynghlwm wrtho. Yn aml iawn, y domen sbwriel yw'r unig opsiwn ar gyfer y math yma o bapur lapio rhad. Bob blwyddyn, mae'n cymryd coedwig yr un maint â Chymru i ddarparu'r holl bapur sy'n cael ei ddefnyddio yn y Deyrnas Unedig.

Mae lapio â phapur brown wedi'i ailgylchu a thâp papur *washi* yn bendant yn opsiwn gwell, ond mae'n dal i greu gwastraff diangen. Y ffordd orau o lapio anrhegion yw drwy ddefnyddio defnydd gan ddilyn y dechneg Japaneaidd *furoshiki*. Defnyddiwch ddarnau o ddefnydd wedi'u torri o hen ddillad neu lieiniau gwely, neu chwiliwch am ddefnyddiau *vintage*, llieiniau llestri a sgarffiau sidan. Mae'r dechneg yn un ddigon syml:

1. Dewiswch eich defnydd – dylai fod dair gwaith yn fwy na'r eitem dan sylw.
2. Gosodwch eich sgwaryn o ddefnydd ar arwyneb gwastad gydag un pwynt yn wynebu tuag atoch.
3. Rhowch yr anrheg yng nghanol y defnydd.

4. Os yw'r anrheg yn hirsgwar, dewch â chorneli'r defnydd sydd ar ddwy ochr hiraf yr eitem at ei gilydd (os yw'r eitem yn sgwâr does dim gwahaniaeth pa ddwy gornel sy'n clymu gyda'i gilydd). Gwnewch yn siŵr fod y defnydd yn dynn a chlymwch y corneli gyda'i gilydd unwaith.
5. Gwnewch yr un peth gyda'r ddwy gornel arall, ond clymwch ddwywaith i greu cwlwm. Mae gwahanol gyfarwyddiadau ar gyfer anrhegion o wahanol siapiau a meintiau, ac mae digonedd o diwtorials ar gael ar-lein.

NADOLIG

Mae cyfnod y Nadolig yn gyfnod lle'r ydyn ni'n gwastraffu lot fawr iawn yma yng Nghymru, a dydy symleiddio a lleihau faint rydyn ni'n ei wario ddim yn lleihau llawenydd yr ŵyl – i'r gwrthwyneb. Yn hytrach na bod yn gyfnod o frysio o un siop i'r llall yn paratoi gormodedd o fwyd, yn llenwi'r tŷ â stwff ac yn poeni am anghofio anrheg i hwn a'r llall, mae'r Nadolig erbyn hyn yn un o gyfnodau mwyaf heddychlon a di-straen y flwyddyn i fi. Mae'n gyfnod o arafu a gwneud y mwyaf o wythnos neu ddwy i ffwrdd o'r gwaith, yn treulio amser gyda ffrindiau a theulu ac yn swatio o flaen y tân â llyfr da.

Y Goeden

Dwi'n dwli ar y diwrnod (gwlyb gan amlaf) pan fyddwn ni'n dewis ein coeden Nadolig, yn ei stwffio i gefn y car a dod â hi i'r tŷ i'w haddurno. Goleuadau gwyn syml sydd gennym ni, a chasgliad o addurniadau rydyn ni wedi'u casglu, eu hetifeddu a'u gwneud ar hyd y blynyddoedd.

Er efallai fod y syniad o goeden artiffisial i'w weld yn opsiwn cynaliadwy gan ei bod yn para am flynyddoedd, mewn gwirionedd mae coeden go iawn yn well dewis. Yn ôl Comisiwn Coedwigaeth y Deyrnas Unedig, mae defnyddio coeden Nadolig go iawn yn defnyddio 10 gwaith yn llai o ddeunyddiau a 5 gwaith yn llai o ynni na choeden artiffisial, a byddai'n rhaid iddi bara am 20 mlynedd cyn bod yn fwy cynaliadwy na choeden ffres. Pan fyddan nhw'n dechrau mynd yn ddi-raen ac yn cael eu taflu, i'r domen sbwriel maen nhw'n mynd, lle byddan nhw'n cymryd cannoedd o flynyddoedd i chwalu'n ddim. Mae coeden go iawn ar y llaw arall yn gallu cael ei gwaredu gyda gwastraff yr ardd a chael ei hailgylchu ... neu mae'n gwneud coed tân da iawn.

Wrth ddewis coeden go iawn, y ddau opsiwn gorau o ran moeseg a chynaliadwyedd yw coeden o fferm leol neu goeden mewn potyn.

Mae coed Nadolig yn cymryd blynyddoedd i'w tyfu, ac ar fferm leol bydd sawl coeden arall yn cael ei phlannu yn lle'r un sydd yn eich ystafell fyw. Mae cefnogi busnesau lleol hefyd yn fuddiol i'r gymuned leol ac yn lleihau effeithiau cludo'r coed o bell. Er mwyn cadw'r goeden yn iach yn y tŷ, llifiwch damaid oddi ar y bonyn a gwnewch yn siŵr ei bod mewn dŵr ffres drwy gydol yr amser. Peidiwch â'i chadw yn agos at wresogydd – bydd hyn yn ei sychu'n gyflym.

Gellir cadw coeden Nadolig mewn potyn o flwyddyn i flwyddyn gyda thamaid o ofal. Dewch â hi i mewn dros yr ŵyl, yna'i chadw allan yn yr ardd ar hyd y flwyddyn. Bydd angen ailbotio'r goeden mewn potyn mwy bob dwy neu dair blynedd er mwyn ei chadw'n iach, ac mae angen cofio rhoi dŵr iddi mewn cyfnodau sych.

Os nad oes ots gennych chi beidio â chael coeden go iawn o gwbl, mae nifer o opsiynau modern wedi'u gwneud o bren a chardfwrdd ac ati ar gael.

Addurniadau

Er nad ydw i'n llenwi'r tŷ ag addurniadau Nadolig, dwi wrth fy modd yn gwneud rhai fy hun o bapur a deunyddiau naturiol. Mae cynnau lot o ganhwyllau a goleuadau tylwyth teg hefyd yn ffordd wych o roi naws gynnes, Nadoligaidd i'ch cartref.

Torchau Papur

Dwi wrth fy modd yn gwneud origami, ac mae'r torchau bach yma'n hawdd i'w gwneud, ac yn berffaith ar gyfer addurno'r goeden.

Deunyddiau

- Papur lliwgar Nadoligaidd – neu ailgylchwch hen gylchgronau, papur newydd neu dudalennau llyfrau
- Pensil
- Pren mesur
- Siswrn

Dull

1. Torrwch 8 hirsgwar – bydd angen i'r hyd fod ddwywaith gymaint â'r lled.
2. Dewiswch un hirsgwar a'i blygu yn ei hanner ar ei hyd gyda'r plyg yn wynebu tuag atoch.
3. Plygwch y corneli uchaf i lawr i gwrdd â'r ymyl isaf.
4. Plygwch yn ei hanner fel hyn.
5. Plygwch yr holl ddarnau hirsgwar eraill yn yr un modd.
6. Edrychwch ar bob darn – fe welwch fod dau fwlch lle bydd darn arall yn gallu ffitio.
7. Ffitiwch ddau ddarn gyda'i gilydd fel hyn.
8. Parhewch i ffitio'r darnau eraill gyda'i gilydd yn yr un modd i greu torch. Os mynnwch, tynnwch y darnau'n rhydd a'i ffurfio eto ond gyda pheth glud y tro hwn.
9. Clymwch ruban wrth y dorch a'i hongian ar y goeden.
10. Mae modd gwneud torch fwy wrth ychwanegu mwy a mwy o ddarnau hirsgwar wedi'u plygu.

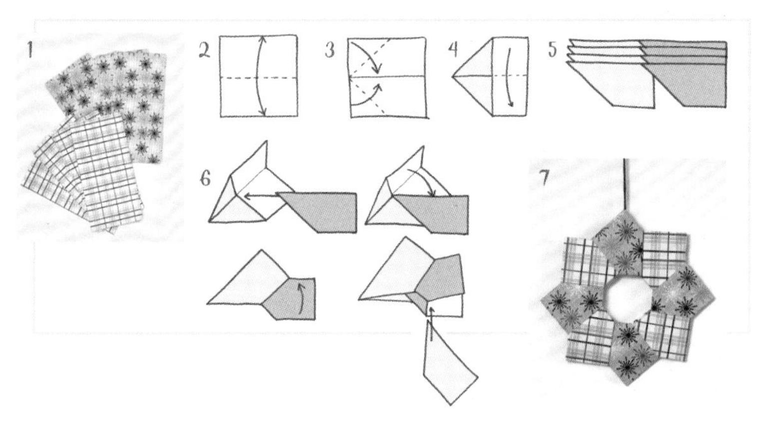

Coronbleth Nadoligaidd

1. Torrwch un oren yn sleisiau tua hanner centimedr o drwch a'u rhoi ar rwyll fetel. Pobwch nhw mewn ffwrn ar ei thymheredd isaf (tua 60°C) am ryw 4–5 awr. Tynnwch nhw allan a'u gadael i sychu'n drylwyr dros nos.
2. Defnyddiwch y rhain, gyda darnau o sinamon a moch coed, i greu coronbleth Nadoligaidd sy'n arogli'n ffein.

Bisgedi Nadolig

Mae'r rysáit syml yma yn gwneud 36 o fisgedi bach blasus sy'n berffaith ar gyfer addurno'r goeden, ac sy'n gwneud anrhegion Nadolig hyfryd.

Cynhwysion

- 100g o fenyn wedi'i feddalu yng ngwres yr ystafell
- 100g o siwgr mân
- 1 wy wedi'i guro'n ysgafn
- 1 llwy de o rin fanila
- 275g o flawd plaen
- 400g o siwgr eisin
- 3–4 llwy fwrdd o ddŵr
- Lliw bwyd amrywiol
- Addurniadau ychwanegol fel gliter bwytadwy, peli bach arian a sbrincls

Dull

1. Twymwch y ffwrn i 190°C/Nwy 5 a leiniwch dun pobi â phapur pobi neu fat silicon.
2. Cymysgwch y menyn a'r siwgr gyda'i gilydd mewn bowlen tan eu bod yn olau ac yn ysgafn.
3. Curwch yr wy a'r fanila i mewn yn raddol, tan fod y cyfan wedi cymysgu'n dda.
4. Trowch y blawd i mewn tan fod y gymysgedd yn ffurfio toes.
5. Rholiwch y toes ar arwyneb â pheth blawd arno i drwch o tua 1cm.
6. Defnyddiwch dorrwr crwst unrhyw siâp i dorri'r toes a gosod y bisgedi'n ofalus ar y tun pobi. Defnyddiwch sgiwer neu welltyn metel i wneud twll yn nhop pob bisgïen.
7. Pobwch nhw am 8–10 munud neu tan eu bod yn troi'n frown euraidd. Gosodwch nhw i'r neilltu i galedu am 5 munud, yna'u hoeri ar rwyll fetel.
8. Ar gyfer yr eisin, hidlwch y siwgr eisin i mewn i fowlen fawr a throwch ddigon o ddŵr i mewn nes creu cymysgedd lyfn weddol drwchus – dydych chi ddim am i'ch eisin fod mor wlyb nes llifo oddi ar y fisgïen. Rhowch ddropyn neu ddau o liw bwyd i mewn tan i chi gael lliw rydych chi'n hapus ag ef.
9. Defnyddiwch gyllell neu fag peipio a thrwyn eisio i addurno'r bisgedi cyn ysgeintio unrhyw addurniadau ychwanegol drostynt. Gosodwch nhw i'r neilltu nes bod yr eisin wedi caledu.

GREAT YEARS
THE ART GAME

YOUR WORLD

ARAFU

Rhan o'n problem ni fel pobl yw mai ein gosodiad naturiol ni, fel petai, yw bod yn brysur. Brysio i'r gwaith, brysio adref, brysio wrth fwyta … rydyn ni fel petai ni wedi colli'r gallu i arafu, i gymryd cam yn ôl ac i fwynhau bywyd. Dwi'n bendant yn euog o hyn; yn ceisio gwasgu cymaint o jobsys i mewn i ddiwrnod ag sy'n bosib (neu'n amhosib) nes yn sydyn reit mae wythnos wedi mynd heibio heb i fi sylwi, hyd yn oed.

Mae byw bywydau brysiog fel hyn yn gwneud i ni fod eisiau pethau ar frys hefyd – ein bwyd, ein parseli cludiad drannoeth, canlyniadau rhyw brawf neu neges bwysig (neu ddigon dibwys gan amlaf). Dyma'n union sydd wedi arwain at y ffordd o fyw dafladwy, dros dro yma rydyn ni wedi arfer â hi erbyn hyn.

Wrth ddechrau ar y daith tuag at fyw bywyd gwyrddach – gan ddarllen, gwylio a gwrando ar bob math o adnoddau – roedd y syniad yma o fyw bywyd arafach yn codi'i ben dro ar ôl tro. Dwi'n meddwl y gall byw'n araf olygu lot o bethau gwahanol i wahanol bobl, ond i fi mae'n ffordd o fyw lle dwi'n stopio am funud fach bob dydd i sylwi ar rywbeth, ac mae'n golygu rhoi amser i wneud y pethau dwi wrth fy modd yn eu gwneud. Ar y tudalennau nesaf dwi'n rhannu rhai o'm hoff arferion araf – y pethau hynny sy'n gwneud bywyd yn gyfoethocach – ac yn eich annog chi i drio ambell un.

MYND AM DRO

Yn reddfol rydyn ni i gyd yn gwybod bod treulio amser ym myd natur yn dda i ni, ond mae cymaint ohonom ni'n esgeuluso'r ymarfer syml hwn. Mae'n werth ei wneud – mae rhywbeth i'w ddweud dros dreulio ychydig o amser tu fas, ymhell oddi wrth ymyrraeth y ffôn neu'r rhestr o dasgau

dyddiol. Mae gwneud cysylltiadau â byd natur a dechrau sylwi arno a'i werthfawrogi yn gwneud i ni ei drysori. Wedi'r cyfan, wnawn ni ddim ymladd am rywbeth nad ydyn ni'n ei garu.

Yn Japan, mae ganddyn nhw derm am hyn – *shinrin-yoku* – sy'n golygu 'ymdrochi yn y goedwig'. Datblygwyd hyn yn Japan yn yr 1980au ac mae'r syniad yn un syml tu hwnt: os yw rhywun yn ymweld ag ardal naturiol a cherdded mewn modd ymlaciol, mae buddion lleddfol, adnewyddol ac adferol i'w cael yno. Ond does dim rhaid teithio mor bell â Japan i ddeall buddion bod yng nghanol byd natur – fe soniodd R. Williams Parry am yr un teimlad yn ei gerdd 'Eifionydd' ymhell cyn yr 1980au:

A llonydd gorffenedig
  Yw llonydd y Lôn Goed,
O fwa'i tho plethedig
  I'w glaslawr dan fy nhroed.
I lan na thref nid arwain ddim,
Ond hynny nid yw ofid im.

O! mwyn yw cyrraedd canol
  Y tawel gwmwd hwn,
O'm dyffryn diwydiannol
  A dull y byd a wn;
A rhodio'i heddwch wrthyf f'hun,
Neu gydag enaid hoff, cytûn.

Weithiau dwi'n teimlo bod angen rhyw *bwrpas* i fynd am dro, felly fe fydda i'n mynd â bag sbwriel a hen declyn codi sbwriel Mam-gu gyda fi i gasglu'r holl sbwriel sy'n cronni yn y cloddiau – ffordd wych o wneud lles i chi eich hun a'r amgylchedd.

Does dim angen mynd am ryw heic degau o filltiroedd o hyd i fwynhau byd natur. Gall fod yn rhywbeth mor syml â bwyta'ch cinio tu allan i'r adeilad lle'r ydych chi'n gweithio, mwynhau hufen iâ bach ar lan y môr, neu jest yfed paned ar stepen y drws gan sylwi ar y cymylau a'r haul (neu'r glaw – mae hwnnw'n hyfryd hefyd!).

GWYLIAU

Er fy mod i'n dwli teithio, dwi'n casáu hedfan. Nid oherwydd effaith ofnadwy hedfan ar yr amgylchedd (er bod hynny'n wir erbyn hyn), ond oherwydd yr effaith ofnadwy mae'n ei gael ar fy iawn bwyll! Dwi'n gweithio fy ffordd trwy'r ofn a'r straen a'r poeni oherwydd dwi wrth fy modd yn darganfod gwledydd a diwylliannau newydd. Mae'n dipyn o benbleth a dweud y gwir:

mae gweld y ddaear a'i phrydferthwch yn dyfnhau ein dealltwriaeth ohoni a'n parch tuag ati ar y naill law, ond ar y llaw arall mae'r diwydiant twristiaeth yn achosi niwed ofnadwy iddi.

Mewn gwirionedd, does dim rhaid i ni hedfan er mwyn cyrraedd lot o'r llefydd yma. Rydyn ni'n dewis hedfan oherwydd bod yr hen frys mawr yma arnom ni i gyrraedd mor fuan â phosib. Mae trenau, cychod a bysus yn mynd i lot o'r un mannau, a phetaen ni'n arafu rhywfaint fyddai dim angen hedfan i bob man. Ond os ydych chi am hedfan, ceisiwch osgoi siwrneiau byrion a dewiswch leoliadau cymeradwy – mae'r mudiad Ethical Traveller yn rhestru'r cyrchfannau gorau i ymweld â nhw yn seiliedig ar eu safonau o ran diogelu'r amgylchedd a lles cymdeithasol, a'u hanes o safbwynt hawliau dynol. Unwaith y byddwch chi wedi cyrraedd eich lleoliad, cerddwch, beiciwch neu defnyddiwch drafnidiaeth gyhoeddus i archwilio'r wlad, bwytewch fwyd lleol a chofiwch eich potel ddŵr.

Yn amlwg, y peth gorau i'w wneud yw rhoi'r gorau i hedfan. Er fy mod i'n ei chael hi'n anodd iawn gwneud hyn, dwi a Gruffydd yn ceisio peidio â hedfan bob yn ail flwyddyn a mwynhau mwy o Gymru a gweddill y Deyrnas Unedig. Mae rhai o fy hoff wyliau wedi eu treulio mewn pabell fach ar ynys Albanaidd neu'n gwirfoddoli gyda'r palod ar Ynys Sgomer yn sir Benfro (os nad ydych chi wedi bod, da chi, gwnewch yr ymdrech!).

Os ydych chi'n ei chael hi'n anodd dod o hyd i'r amser i ddal bws i'r Eidal, neu fodio i Fôn, beth am fynd ar feicro-antur? Alastair Humphreys wnaeth fathu'r term *microadventure* ac mae'n disgrifio'r syniad fel antur sy'n "small and achievable, for normal people with real lives". Gwyliau bach byr, syml, lleol a fforddiadwy – dim ond un noson, fel arfer, yn gwersylla yn y gwyllt (h.y. nid mewn gwersyllfa), yn bwyta *al fresco* ac yn mwynhau nofiad gwyllt er enghraifft. Mae'r gwersylla a'r bwyta yn bendant yn apelio, ond dwi ddim yn rhy siŵr am y nofio! Rhowch gynnig arni – mae Cymru'n llawn lleoliadau perffaith ar gyfer pob math o feicro-anturiaethau.

DIFFODD Y DYFEISIAU

Os alla i roi un tip i chi am sut i fyw bywyd symlach, arafach a mwy bodlon (i fi beth bynnag), dyma fe: peidiwch â chadw teledu yn y tŷ! Mae'n rhyfeddol sut mae diffodd y dyfeisiau yn agor drws creadigrwydd, ac yn rhyddhau rhyw amser ro'n ni wedi anghofio'i fod yn bodoli. Dwi'n deall nad yw cael gwared ar y teledu ddim yn opsiwn i bawb, ond byddwn i'n awgrymu'n gryf eich bod chi'n cyfyngu'r adegau mae'r teledu ymlaen, e.e. dim sgriniau wrth y bwrdd bwyd, yn yr ystafell wely na chwaith yn y boreau. Pan fyddwch chi'n penderfynu rhoi cynnig arni, ac yn sydyn reit yn teimlo ar goll a heb syniad yn y byd beth i'w wneud â'ch noson analog, dyma rai syniadau i chi …

Treulio Amser gyda Ffrindiau

Rydyn ni wedi cael ein creu yn greaduriaid cymdeithasol, ac mae pob math o astudiaethau dros y blynyddoedd diwethaf wedi dod i'r casgliad fod cysylltedd di-baid y cyfryngau cymdeithasol yn cael effaith niweidiol ac yn ein gwneud ni'n bobl unig iawn. Does bosib ei bod hi'n well treulio amser gyda'n ffrindiau a mwynhau sgwrs dda a digon o chwerthin yn y cnawd yn hytrach na thrwy neges destun!

Darllen a Gwrando ar Gerddoriaeth

Dwi wrth fy modd yn clywed y cracl cyfarwydd wrth i'r nodwydd fach ddechrau'i thaith o gwmpas fy hoff record (*All Things Must Pass* George Harrison yw honno gyda llaw), cydio mewn llyfr ac ymdrochi yn sŵn cynnes y finyl a'r byd newydd sy'n aros amdana i rhwng y tudalennau. Dwi wastad wedi bod wrth fy modd yn darllen, ond rywsut mae hi wastad yn haws troi'r teledu ymlaen, felly mae cael gwared ohono'n gyfan gwbl wedi gwneud byd o les i'm rhestr ddarllen! Mae'n ffordd wych o ymlacio a diffodd fy meddwl rhag pethau'r byd.

Gwneud Jig-so

Roedd fy mam-gu wrth ei bodd yn gwneud jig-so, ac roeddwn innau'n hoff o roi help llaw iddi. Mae'n weithgaredd bach sy'n pasio amser ond sydd hefyd â rhyw effaith leddfol iawn – ry'n ni'n canolbwyntio gymaint ar y dasg wrth law nes gwacáu ein meddyliau o straen a gofidiau dyddiol. Mae'r rhain, ynghyd â phob math o wahanol bosau, hefyd yn dda iawn o ran hyfforddi'n ymennydd.

HOBÏAU

Rhywbeth rydyn ni'n ei wneud yn ein hamser sbâr er pleser yw hobi, ac oherwydd hynny mae nifer ohonom ni'n eu gweld nhw fel rhyw foethusrwydd does gennym ni ddim mo'r amser na'r hawl i'w fwynhau. Ond mewn gwirionedd mae gan hobïau fuddion fel bod yn ollyngfa greadigol, yn rhywbeth i edrych ymlaen ato ac yn rhywbeth sy'n cadw'r ymennydd yn sionc. Does dim angen bod yn greadigol i gael hobi, cofiwch – gall fod yn arddio, coginio, darllen, chwarae offeryn, dawnsio, rhedeg neu ymuno â thîm chwaraeon, gwirfoddoli, pysgota, uwchgylchu neu ddysgu iaith newydd. Mae'r posibiliadau yn ddiddiwedd, ac yn llawer mwy cyraeddadwy ar ôl diffodd y dyfeisiau!

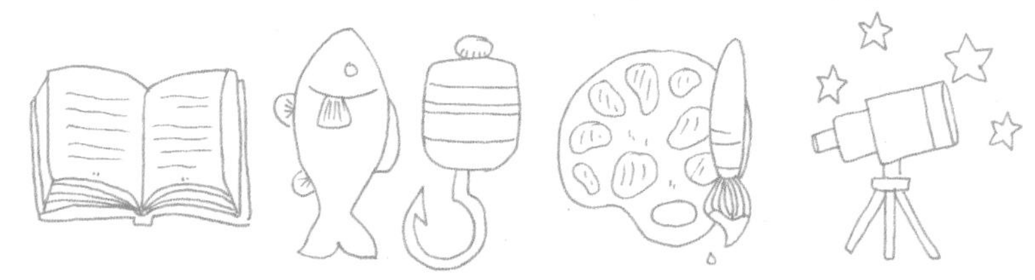

DEFNYDDIO'R DYCHYMYG

Mae'r broses o greu rhywbeth – pobi cacen, paentio llun, gwau blanced, creu bomiau tŷ bach, gwnïo sgert, cyfansoddi cerdd neu grosio cadach golchi llestri – yn dod â ni yn ôl at ein gwreiddiau, ac yn cael effaith leddfol. Un o brif negeseuon y llyfr yma yw y dylen ni ystyried ein treuliant a thorri i lawr arno, felly beth well na chreu'r hyn ry'n ni ei angen neu ei eisiau â'n dwylo ein hunain?

Yn ogystal â'r pethau creadigol dwi wedi sôn amdanyn nhw'n barod yn y penodau blaenorol, dyma rai syniadau eraill am rai o fy hoff weithgareddau a phrosiectau creadigol.

Ffotograffiaeth Amgen

Mae sawl gwahanol fath o ffotograffiaeth amgen i arbrofi â nhw, ond efallai mai fy hoff broses i yw'r anthoteip. Mae Gruffydd yn ffotograffydd brwd, ac wrth ei fodd yn arbrofi â thechnegau mwy naturiol (fel fi a fy inciau naturiol) – mae'r byd ffotograffiaeth amgen yn amrywiol iawn, ac yn werth ymchwilio iddo.

Dyfeisiwyd y broses anthoteip yn 1842 ac yn syml, delwedd sy'n cael ei chreu gan ddefnyddio deunyddiau ffotosensitif o blanhigion yw hi. Mae'n broses sy'n hwyl i arbrofi â hi, ac yn hawdd iawn gan nad oes angen unrhyw ddeunyddiau ffotograffig arbenigol. Dyma rai cyfarwyddiadau syml fel man cychwyn – noder ei bod hi'n syniad da aros am ddiwrnod braf ar gyfer creu anthoteip llwyddiannus.

Deunyddiau

- Papur trwchus fel papur dyfrlliw
- Brwsh paent
- Casgliad o betalau, dail ac aeron
- Prosesydd bwyd neu freuan a phestl
- Papur hidlo coffi neu ddarn o fwslin
- Bowlen
- Darn o wydr neu acrylig
- Negatif neu eitemau diddorol fel blodau, dail, plu, les – gorau po fwyaf fflat ydyn nhw

Dull

1. Torrwch eich planhigion yn fân a'u mathru gyda breuan a phestl neu brosesydd bwyd/blendiwr. Ychwanegwch beth dŵr wedi'i ffiltro i wneud cymysgedd drwchus. Peidiwch ag ychwanegu gormod o ddŵr neu bydd yn distyllu'r lliw. Dyma yw'ch emylsiwn.
2. Hidlwch yr emylsiwn drwy ddarn o fwslin neu bapur hidlo coffi i mewn i fowlen gan ei wasgu â llwy i gael cymaint o'r hylif drwodd â phosib. Mae modd cadw'r emylsiwn mewn potel dywyll mewn man tywyll, ond byddai'n syniad da ei ailhidlo cyn ei ddefnyddio eto.
3. Defnyddiwch frwsh i baentio haenen o'r emylsiwn ar y papur. Ceisiwch frwsio mewn un cyfeiriad, troi'r papur 90° a brwsio eto. Dylai hyn gael gwared ag unrhyw farciau brwsh gweladwy.
4. Gallwch ddefnyddio negatif bach, delwedd negatif wedi'i phrintio ar asetad neu eitem fflat i greu'r llun. Mae deunyddiau

naturiol fel blodau a dail yn gweithio'n dda, yn ogystal â siapiau haniaethol wedi'u torri o bapur. Trefnwch nhw ar eich papur emylsiwn.

5. Unwaith rydych chi'n hapus â'r gosodiad, gorchuddiwch nhw â darn o wydr neu acrylig clir a mynd â'r holl beth allan i'r haul.
6. Bydd yr amser datblygu'n amrywio'n fawr gan ddibynnu ar eich emylsiwn – unrhyw beth rhwng cwpwl o oriau a thridiau! Mae'n bosib na fydd rhai petalau neu ddail yn cynhyrchu unrhyw fath o ddelwedd – dyma broses arall sydd â lot o brofi a methu ac amynedd ynghlwm â hi.
7. Unwaith y byddwch chi'n hapus â lliw eich print, ceisiwch ei arddangos mewn man â golau isel, h.y. nid ar wal sy'n cael golau haul uniongyrchol gan y bydd hyn yn achosi i'r ddelwedd golli ei lliw.

Palet Byd Natur

Dwi wrth fy modd yn creu celf – popeth o brintiau leino i ddarnau brodwaith a *collage*. Ond mae creu celf yn gallu bod yn broses eithaf gwastraffus a llawn cemegau, felly fe es i ati i chwilio am ddulliau gwyrddach. Un o'r prosesau y des i ar ei thraws a gwirioni arni'n syth bìn oedd creu inc o ddeunyddiau naturiol.

Hyd yn hyn dwi wedi creu inciau gan ddefnyddio popeth o dyrmerig a chroen winwns coch i gerrig afocados a chennin pedr, ac mae'r broses yn un ryfeddol o syml:

saffron
turmeric
daffodil

1. Berwi 1 cwpan o ddeunydd planhigion ffres neu ½ cwpan o ddeunydd sych gydag 1 cwpan o ddŵr am gyfnod a all fod rhwng 30 munud a 2 awr. Y bwriad yw berwi'r hylif i lawr i greu pigment, yna'i hidlo drwy ddarn o fwslin.
2. Ychwanegu hanner llwy de o gwm Arabig a 3 dropyn o olew naws teim neu gwpwl o glofs i osgoi llwydni. Yn y fan hon, ambell dro dwi'n ychwanegu pinsied o ludw soda, sydd weithiau'n dyfnhau'r lliw a throeon eraill yn ei newid yn gyfan gwbl – mae'n broses o brofi a methu yn aml iawn!
3. Troi'r cyfan yn dda cyn tywallt yr inc i botel fach seliedig. Mae rhai inciau yn para'n well na'i gilydd, felly mae angen cadw golwg arnyn nhw, a'u cadw mewn man tywyll i ffwrdd o olau'r haul. Mae'r inc yn gweithio'n grêt ar bapur yn ogystal â defnydd, ond amser a ddengys pa mor hir y bydd yn para cyn dechrau colli'i liw, os bydd yn colli'i liw o gwbl. Mae'n broses sy'n lot o hwyl, ac yn bendant yn werth arbrofi â hi.

Papur o Waith Llaw

Ffordd wych o ailgylchu hen bapurach yw creu, wel, mwy o bapur! Nid papur arferol mohono wrth gwrs, ond papur sydd ag ansawdd hyfryd ac sy'n gallu cael ei liwio a'i addurno mewn pob math o wahanol ffyrdd.

Deunyddiau

- Ffrâm a rhwyll wifrog (maint y tu mewn i'r ffrâm fydd maint y papur gorffenedig)
- Darnau o bapur (amlenni, tudalennau lliw, papurach y post, papur lapio, papur sidan ac ati)

- Addurniadau fel blodau sych, hadau, dail, lliw bwyd neu baent
- Twba neu ddysgl weddol fawr
- Blendiwr
- Twba neu ddysgl fas – dylai hwn fod yn ddigon mawr i ffitio'r ffrâm ynddo
- Tywel neu sbwng
- Darn o ffelt

Dull

1. Adeiladwch fowld trwy staplo'r rhwyll wifrog at y ffrâm.
2. Rhwygwch y papur yn ddarnau bach a sociwch nhw mewn twba o ddŵr am rai oriau neu dros nos. Rhowch ddŵr yn y blendiwr nes ei fod tua thri chwarter llawn ac ychwanegu llond llaw o ddarnau papur. Blendiwch tan fod dim darnau mawr ar ôl.
3. Llenwch y twba neu'r ddysgl fas â dŵr a'r mwydion. Trowch y gymysgedd ac ychwanegwch unrhyw addurniadau neu liw.
4. Trochwch y ffrâm yn y gymysgedd a symudwch ef o gwmpas er mwyn sicrhau fod y mwydion yn wastad.
5. Gosodwch y ffrâm dros ymyl y twba i ddripsychu, ac ar ôl ychydig funudau defnyddiwch dywel neu sbwng i amsugno cymaint o hylif â phosib, cyn gosod y papur wyneb i lawr ar ddarn o ffelt.
6. Codwch y ffrâm yn ofalus. Os yw'r papur yn sownd, dechreuwch ei bilio i ffwrdd o'r ymylon. Os yw'r papur yn dal i fod yn rhy wlyb, gorchuddiwch ef â thywel arall a defnyddiwch rolbren i wasgu dŵr gormodol allan.
7. Gadewch y papur i sychu'n llwyr cyn ei ddefnyddio.

DIWEDDGLO

Gobeithio'ch bod chi wedi mwynhau darllen y gyfrol hon, ac wedi cael eich ysgogi i ddilyn y llwybr cyffrous yma at fyw bywyd symlach, arafach a mwy gwyrdd. Dwi wedi mwynhau ei hysgrifennu hi, ac wedi dysgu lot am y blaned ... ac amdanaf fi fy hun! Gam wrth gam mae dilyn y llwybr, un droed ar ôl y llall. Prynu'ch negeseuon yn y farchnad, rhoi cyfle i'r bar sebon, trwsio botwm ar grys neu ddiffodd y dyfeisiau yn amlach – mae pob newid bach yn gwneud gwahaniaeth. Parhewch i addysgu'ch hunain, i rannu'r neges ac i newid rhywbeth, *un peth bach ar y tro.*

ADNODDAU *gwyrddach*

Llyfrau

Bodlon, Angharad Tomos , Gwasg Gwynedd
No. More. Plastic., Martin Dorey, Penguin Books
Zero Waste Home, Bea Johnson, Scribner
The Life-Changing Magic of Tidying, Marie Kondo, Penguin Books

Gwefannau a Blogiau

Recycle for Wales
gwefan yn llawn gwybodaeth am y sefyllfa ailgylchu yng Nghymru, hefyd ar gael yn y Gymraeg www.recycleforwales.org.uk

WRAP Cymru
rhan o WRAP, sef yr arbenigwyr ar economi gylchol www.wrapcymru.org.uk

Hoffi Bwyd, Casáu Gwastraff
gwefan wych sy'n cynnwys nifer o syniadau a ryseitiau i leihau gwastraff bwyd ac sydd ar gael yn y Gymraeg wales.lovefoodhatewaste.com

WWF Travel Helper
gwefan sy'n cyfrifo ac yn gwrthbwyso cost amgylcheddol eich taith travel.panda.org

Caru Eich Dillad
gwefan wych arall sy'n llawn syniadau am sut i brynu, gofalu am ac uwchgylchu ein dillad ac sydd ar gael yn y Gymraeg www.loveyourclothes.org.uk

1 Million Women
mudiad menywod byd-eang sy'n ymladd newid hinsawdd
www.1millionwomen.com.au

Blog Gwyrddach – gwyrddach.wordpress.com
Moral Fibres Blog – moralfibres.co.uk
Zero Waste Life Blog – www.zerowastelife.co.uk

Podlediadau

Ffanibowan (Podlediad Hansh) – Sgwrs rhyngof fi a'm ffrind Heledd Watkins am ffasiwn gwyrdd (a lot o nonsens!)

Sustainababble – podlediad wythnosol am faterion amgylcheddol sydd wedi'i anelu at y rheiny ohonom ni sydd mewn rhywfaint o benbleth am yr holl beth

Rhaglenni Dogfen

Arctig: Môr o Blastig? – ffilm ddogfen gan Mari Huws am effaith plastig ar yr Arctig

A Plastic Ocean – rhaglen ddogfen sy'n edrych ar effaith gwastraff plastig ar ein moroedd

Blue Planet II – rhaglen ddogfen arall sy'n edrych ar effaith gwastraff plastig ar ein moroedd

The True Cost – rhaglen ddogfen sy'n edrych ar ffasiwn ar hast a'i effaith ar yr amgylchedd

Apiau

Good on You – ap sy'n rhoi gwybodaeth am ba mor wyrdd yw cwmnïau dillad
Refill – ap sy'n dangos ble mae'ch gorsaf ail-lenwi potel ddŵr agosaf

GEIRFA wyrddach

Adnewyddadwy	renewable
Anadnewyddadwy	non-renewable
Ailffurfio	to customize
Alcohol rhwbio	Rubbing alchohol/Isopropyl alcochol; denatured alcohol, typically perfumed, used as an antiseptic or in massage
Anhydraidd	impervious
Barriff Mawr	Great Barrier Reef
Breuan a phestl	mortar and pestle
Bywlys	sedum
Camri	camomile
Carthffrwd	effluent (liquid waste)
Carwe	caraway
Ceglyn	mouthwash
Carsinogenig	carcinogenic; having the potential to cause cancer
Clwt	patch
Coed mêl	buddleia
Coed te	tea trees
Cwrel	coral
Cyffeithio	to preserve
Cynaliadwy	sustainable
Cywarch	hemp
Diaroglydd	deodorant
Edau ddannedd	dental floss
Ensym	enzyme
Eplesu	to ferment
Ferfaen	verbena

Ffacbys	chickpeas
Ffenigl	fennel
Fflochennydd	exfoliator
Fflochiau tsili	chilli flakes
Fforio	to forage
Gardd ar osod	allotment
Gefeiliau	pliers
Glanweithio	to cleanse
Allyriadau	emissions
Gwerddonell	salvia
Gwydn	tough/strong
Gwyrddach	greener
Heli	brine
Llin	flax
Mân ffibrau	microfibres
Mathru	to pulp
Mwydion	pulp
Olew naws	essential oil
Paciau pothellog	blister packs
Pecynnu	packaging
Pelenni	pellets
Pupur-fintys	peppermint
Pydradwy	degradable/compostable
Rheiddiadur	radiator
Rhimyn drafft	draft excluder
Sebon gwyn	Castile soap
Shibwns	spring onions
Stemiwr rhenciog	tiered steamer
Swp	bulk
Tomen sbwriel	landfill
Trowasgu	to wring
Trwytho	to infuse/to brew
Uwchgylchu	to upcycle
Ynysu	to insulate/insulation